叱ったあとの「ひと言」で子どもが変わる

日本妈妈的温柔批评课

好妈妈跟我学
全球教子智慧

［日］金盛浦子◎著
王筱敏◎译

中国经济出版社
CHINA ECONOMIC PUBLISHING HOUSE
·北京·

“好妈妈跟我学·全球教子智慧系列”读者热评

正在踌躇要不要生老二，先学习一下吧。书中的很多观念都很好，让我增强了很多的信心！

——京东读者“jdxiaoyezg”《日本妈妈的两个孩子养育课》★★★★★评价

书里讲了很多两个孩子的家庭在孩子成长中会遇到的各种问题，让我这个即将成为俩宝妈的人对未来有了一些清晰的认识，在心理上做好了准备。

——京东读者“jd138116odw”《日本妈妈的两个孩子养育课》★★★★★评价

书很好，孩子很喜欢，后悔买晚了。

——京东读者“杨836”《日本妈妈的学霸小孩养成课》★★★★★评价

这是我读过的最有用的育儿书，推荐有娃的家庭，读的轻松，方法易上手，有作用。

——京东读者“36z”《日本妈妈的正能量亲密教养课》★★★★★评价

很喜欢日本书的风格，看着心情就能平静很多，内容不错，强烈推荐给大家。

——京东读者“xiaoxiasun6150”《日本妈妈的温柔批评课》★★★★★评价

日本教育理念的确有独到之处，有家长的帮助、好的学习方法、形成好的学习习惯，就一定能取得好的成绩，不是孩子聪不聪明的问题，而是有没有掌握好的学习方法，这本书推荐给其他家长，书里的方法很细致实用，可以教给孩子。它山之石可以攻玉，值得一读！

——当当读者“那样儿”《日本妈妈的学霸小孩养成课》★★★★★评价

买了一套，感觉很实用，有很多平时生活上的小例子，写得蛮好的，刚看了一本，挺受用的。

——当当匿名读者《日本妈妈的超级收纳课》★★★★★评价

日本人太细致，考试前怎么睡觉也专门出书讲解，话说作者还是研究睡眠医学的世家，专业背景很强。安排孩子考前的作息时间值得参考一下这本书！

——当当读者“阿嚏阿嚏”《日本妈妈的科学睡眠法》★★★★★评价

译者序

翻译了《日本妈妈的两个孩子养育课》之后，我和编辑棉花糖妈妈都被作者金浦盛子的家教著作深深吸引。棉花糖妈妈又选了这本书，深感我们这些年轻的妈妈一定要来学习一下。

我记得日本著名影星松岛菜菜子生子后息影，后来复出出演《家政妇三田》的时候接受记者采访，记者问她：“在我们心中，您的形象一直是温柔善良的，那么小孩在家里淘气时，您会发火么？”一直在镜头前保持矜持的松岛菜菜子一提到孩子，脸上忍不住绽放出笑容："小孩子当然会淘气，我也当然会发火了。尤其是早晨要上幼儿园时，孩子慢慢腾腾地出不了门，我就会站在门口大声嚷嚷，'快点啊！要迟到啦！'"她一边说，一边举起手来做出招呼孩子的姿势。我们仿佛看到了在她家每天早晨出现的生动场景，松岛菜菜子的形象也立刻变得更加亲切起来。

其实，所谓"温柔地批评"实际上就是"打一大棒，再给个枣"，当妈妈们为孩子焦头烂额地忙碌之时，总会忍不住上火急躁，对孩子硬邦邦地甩上几句话。发火的时候我们不假思索，仿佛做了孩子妈妈就有资格如此发脾气，可这些生硬冷漠的言语会给孩子稚嫩的心灵造成很大的伤害的啊！我们这些做妈妈的，怎么能那么伤害孩子呢？当然，做妈妈的我们也不是圣人，也会在工作、生活以及家庭的操劳中失去耐心。而这本书教我们的，正是如何培养对孩子的耐心，如何在发火后进行补救，对孩子要说出怎样的话，才能让他们的小心灵不再受伤害。

有人说，为人父母是一种修行，父母的言传身教在潜移默化中对孩子产生了重要而巨大的影响。记得在我6岁那年春节，我看爸爸妈妈都忙碌着，很想倒一杯水给妈妈，可是因为手滑不小心把玻璃杯子打碎了。妈妈当时非常生气，她厉声批评我只会捣乱，我心里十分委屈却说不出。结婚、怀孕后，跟妈妈聊起孩子的教育问题时，我说起了这件事，妈妈却说完全不记得了。现在想来，我是可以理解妈妈的，她年轻的时候每天上6天班，周末只休息1天，还要在家里洗洗涮涮收拾不停，每天忙碌的生活让她的耐心有限。我妈妈也感慨，那时候一心扑在工作上，有时无暇特别在意孩子的感受。

我们都希望在教育下一代时能够更耐心一点，更细致一些，能够体会孩子敏感的内心感受，能够不再让生硬的语言伤害到孩子的心。

翻译完这本书，我立刻将之奉为“圣经”，简直想把里面的字字句句都熟记于心。作者生动的例子以及体贴入微的建议都让我十分感动，我希望也能够在繁忙的工作生活中，可以更加耐心和细致，给我的孩子更多的关心和体贴。我相信你也一定能做到的，让我们一起加油吧！

特别感谢为本书做出贡献的佟晓威、王振华和王淑梅。

王筱敏

2015 年 10 月于北京

作者序

如果您的家里有一个上幼儿园或者上小学的孩子，妈妈每天总会忙得焦头烂额吧。我自己也有三个孩子，虽然现在他们都已经长大成人了，但我偶尔回忆起当年养育孩子最繁忙的时候，总忍不住会想："我这么多年还真是挺不容易的。做妈妈最重要的就是得精力充沛啊！"我觉得和孩子们相处的时间是最宝贵的，只要想到这个，无论再忙再累我也能坚持下去了。

各位整日辛劳的妈妈，请大家现在把肩上沉重的担子放一放，让我们一起给心灵做个SPA好不好？大家可能有各种各样的烦恼：“我每天那么忙那么辛苦，可是孩子一点儿也不听我的！”“我越来越管不了孩子了，真是着急！”不如我们一起来探讨一下，该如何解决这些养育子女的烦恼吧。

我本身是三个孩子的母亲，同时也做心理咨询的工作。到目前为止，我为很多位母亲提供过育儿方面的心理服务。我相信这本书也能给各位提供一些帮助。

小孩子就像小天使一样，天真无邪，让家长疼爱万分。但是同时小孩子又总是喜欢左摸摸、右碰碰，要不就弄坏点东西，要不就跟小朋友打一架。家长的视线真是一刻也不敢离开。有时候妈妈可能不假思索就对孩子大声呵斥：“不行！”“你快住手！”“你给我老实点！”其实这也是无可奈何的事。

当孩子进入学校之后，会不会好好地遵守老师的教诲，肯不肯用功刻苦学习，能不能交到几个知心的朋友……妈妈要惦记的事情变得越来越多了。虽然不能够了解孩子在自己的视线之外是怎样的状态，但妈妈总是会不厌其烦地对孩子耳提面命：“你要好好努力啊！”“别让老师批评你啊！”

孩子本来好好的，但妈妈总是忍不住要时不时提点一下。那么妈妈的这些良苦用心，这些“至理名言”，有没有真正地传递到孩子的心里去呢？

其实孩子们啊，他们不仅能够接受妈妈所说的话，也能够体会到妈妈的感受。如果某个时刻妈妈非常生气，愤怒的情绪就会直接传递给孩子。如果妈妈焦虑不安，想也不想就对孩子说“不”，这样的情绪也会直接影响到孩子。孩子很有可能也会因此而产生负面情绪。

让我们一起以积极的态度向前看，以轻松的心情养育孩子吧！我们做妈妈的要坚定，要在心里制造出一个“不会偏移的轴心”。好啦！让我们一起愉快地和孩子生活吧！我把这本书与养育孩子的秘籍奉献给您。

那么，就让我们开始吧！

目录

第一章　输给怒火的话

第二章　将孩子拒之千里的话

第三章　制造痛苦的话

第五章 边叹气边说的话

第一章

输给怒火的话

1

“我要和你说多少遍你才能记住！”

无论我说几遍都不行，孩子根本不听

清晨起床，去幼儿园就要迟到了，可是孩子还是不紧不慢地看看电视，打打游戏机，让他干什么都是磨磨蹭蹭的。

妈妈站在门口反复催促："快点儿来换衣服出门啦！""赶快来吃饭！"孩子却仿佛听不见一样。妈妈一边着急得赶快送孩子出门，一边惦记着家里的家务还没来得及做呢，真是恼火。

就在这时，妈妈气急败坏地对孩子嚷嚷一句："我还要说多少遍你才记得住啊！"这是非常常见的情形。对妈妈来说，一天之中早上其实是最忙碌的时间段。因为要同时处理很多事情，恨不得每件事都赶快弄完。妈妈常常着急得头都大了。

但是站在孩子的角度来看，看电视节目或者打游戏机实在是太有意思了，孩子总是不知不觉就被吸引了过去。

孩子被骂了反而会感到很委屈，觉得“那么有意思的游戏，妈妈怎么不能理解我呢”？

或者“我自己其实也想不看电视，不玩游戏，但就是停不下来。妈妈怎么就不能理解我的感受呢，真讨厌啊！”很多时候孩子会有这样的感受。

不用责备孩子，妈妈可以温柔地提醒孩子

在成年人的世界里，也常常会有我们明明知道不能做、不该做，却怎么也停不下来的事情。如玩电子游戏、打牌、酗酒、抽烟等。所以我们叉起腰来指责孩子停不下手里的游戏，也是没道理的。

首先妈妈要做到心平气和。我们可以告诉孩子："这个游戏，现在该停下来了。宝宝的耳朵听得最清楚了，每次妈妈只说一遍你立刻就能做到。"用这样温暖的话语帮助孩子纠正行为，妈妈的心思也能直接地传递到孩子的心里。

有时候妈妈也需要安静地在一旁观望，等待孩子自己发现自己需要做什么了，这样的坚持是非常有必要的。如果妈妈凡事都要指挥孩子——你去做这个，

你去做那个，就无法培养孩子对事物的控制能力。

“要是任由孩子的性子来，肯定得出事了。”很多妈妈都坚信这样的观点，其实这恰恰能够反映出妈妈自己的不自信。

请各位妈妈更加信任孩子吧。即使偶尔失败了也没有关系，我们常常能从失败中学到很多东西呢。

“这个游戏，现在该停下来了。每次妈妈只说一遍你立刻就能做到。”

妈妈可以在孩子耳边轻轻念叨：“谁都不愿意因为同样的事情被别人提醒好几遍！”然后我们不妨再换一个方式鼓励孩子：“你看！这么快就能做好了！”这样表扬对孩子才是比较好的处理方法。

2

“太吵了，你别哭啦！”

孩子总是止不住哭泣，声音都变得嘶哑了

打个比方，孩子在外面和小朋友打了一架，灰头土脸地回了家。他小小的内心里充满了委屈、伤心和悔恨。他本来只是抽泣，但越想越难过，忽然号啕大哭，完全停不下来。孩子一边摸着磕破的膝盖觉得疼痛难忍，一边哭起来一声比一声大，简直震耳欲聋。

号啕大哭就是孩子宣泄负面情绪的方式。我们都知道，如果人想哭的时候能够大声哭出来，就能感觉轻松许多。

但是，大人们却总是被孩子哭得心烦意乱，等不及孩子止住哭声就大声制止："你别哭啦！你是男孩子嘛！"我们经常能看到家长用这样的说辞来要求孩

子。其实我觉得这只是大人为了赶快止住孩子的哭声而说的借口。

还有的妈妈，她们觉得孩子的哭声简直太吵了，而且总感觉孩子会没完没了地哭个不停，让人心烦意乱。这时她们便压抑不了自己的烦躁，对孩子大声指责：“太吵啦！你赶快别哭了！”

但是大人这么一说，孩子就能止住不哭么？孩子往往越来越委屈，哭声反而会越来越大。

其实孩子也想早点止住哭泣的

孩子们在哭泣的时候在想什么呢？他们最希望父母能够理解自己为什么哭泣。尤其是在和朋友吵架吵得很厉害，或者身上哪里很疼、很不舒服的时候，他们希望能够得到父母的帮助。

在这个时候，孩子是很希望父母能够耐心地陪伴他们，容许他们痛快地哭完。其实在孩子的心里，也会觉得总是哭个不停挺不好意思的，他们也想赶紧停下来不哭了。

请家长们理解孩子们的感受，给予他们想要的关怀。妈妈可以一边温柔地擦拭他们脸上的泪水和鼻涕，一边轻声地安慰："人啊，只要一哭起来，就很难立刻停下来，是不是？"妈妈通过这样的话可以让孩子知道，你是理解他的，也能够让孩子逐渐平静下来。其实只要妈妈把孩子紧紧地拥入怀中，孩子的心就会一下子安稳落地了。

在妈妈有时忍耐不了孩子震天的哭声时，也可以暂时避开。等待孩子自己平静下来时，再走过来微笑着说："刚才你在练嗓门呢，是吗？"用这样的言语就可以让孩子知道，自己是被父母亲所接受认同的，他也会感到安心。

“只要一哭起来啊，
就很难立刻停下来，是不是？”

有时候孩子和家长争吵之后，可能会哭得停不下来。这个时候妈妈最好能够主动上前，对孩子道歉：“对不起，妈妈刚才发脾气了。”这样彼此之间就不会心存芥蒂。

3

“你别老是缠着我啊，差不多就行了！”

孩子总是在忙碌的时候缠着妈妈

如果妈妈是位职场女性，往往不得不把孩子送进幼儿园。每天傍晚下班后，妈妈要先急急忙忙地冲去幼儿园接孩子，赶回家后又要手忙脚乱地张罗做饭、看着孩子们吃饭，照顾孩子们洗澡。操持孩子的生活起居忙得妈妈恨不得长出三头六臂来。哄孩子们睡下之后妈妈仍然不得空闲，还要洗衣收拾为明天做好一系列准备。如此紧张的生活让母子之间连好好聊天的时间都没有。

即使妈妈是位全职母亲不用出门工作，但是每天又要忙着做家务还要忙着育儿，其实真正亲密的母子时间也是非常有限的。

如果孩子总是在妈妈正满头大汗地做家事时，在妈妈身边黏来黏去，我想这种现象正体现了平时母子之间的交流不足，肌肤接触也不足。

如果妈妈不了解这一点，而烦躁地对孩子嚷嚷：“你怎么老这么黏着我啊！你别给我捣乱了行不行!”孩子听到这话，就会怀疑妈妈是不是讨厌我了，他们幼小的心灵会因此而受到伤害。

但是孩子即使是被妈妈如此责骂，也还是会扑到妈妈怀里撒娇的。这么看来，孩子是多么坚强，多么招人怜爱啊！孩子啊，是最喜欢妈妈的!

即使一分钟也好，让我们紧紧地抱着孩子吧

孩子越小就越愿意一直黏在妈妈身边，和妈妈密不可分。其实这也是孩子的一个很自然的状态。

当孩子慢慢长大，逐渐接触了成年人的世界之后，他们自身的世界也会扩展得越来越宽广。到了那个时候，孩子就会自然而然地逐渐远离妈妈，远离家人，不再会总是黏在妈妈身边了。

不过即使到了那个时候，长大的孩子也会忽然萌发念头，忽然再想和妈妈好好亲近一下，用自己的皮肤去实实在在地感受一下妈妈的爱。这个时候，他们会忽然跑过来，向妈妈寻求抚慰。

在这个时候，妈妈无论在做什么家务，无论在忙什么事情，都请放下手上的活，给孩子一个紧紧的拥抱吧。

哪怕一分钟也好。妈妈的这个亲密举动会让孩子感受到满满的爱意。

最重要的是，当孩子有黏在妈妈身边的需求时，若妈妈能够满足孩子，会让他们得到足够的安心。

如果孩子知道妈妈一定会满足他，妈妈也可以说：“妈妈现在有一点忙，你稍微等一下好吗？”妈妈这样的说法，孩子是一定可以接受的。孩子相信母亲，能够耐心地等待母亲，这其实也是一个了不起的成长啊！

其实啊，妈妈也想好好黏着你呢！

妈妈可以像做游戏一样拉住孩子的手，一边对孩子说："让我们俩大手牵小手好吗？因为我们是好朋友呀！妈妈好喜欢你呀！"一边和孩子做深呼吸，这是一个促进母子交流非常好的方法。

4

“已经太过分了啊，再闹妈妈就生气了！”

妈妈已经很忙了，孩子却总在“捣乱”

“你赶快收拾一下玩具吧！”虽然妈妈已经交代了任务，可孩子还是在房间里懒散着不动；或者孩子想自己去倒杯饮料喝，却笨手笨脚把杯子掉在地上摔碎了。

这个时候妈妈会忍不住厉声指责：“你差不多可以了啊！再闹妈妈就生气了！尽给我添麻烦！”我其实是完全可以理解各位妈妈的。

其实这也是妈妈在表明：“我的忍耐是有限度的。”孩子看到妈妈这个样子，也会觉得我给妈妈添了麻烦，我真是个坏孩子。

妈妈每天辛苦忙碌，要做的家务劳动堆积如山，但时间却总是有限，孩子对于这些往往是不能体会的。这是因为孩子和成年人对时间的感知角度是不同的。

对孩子来说，他们往往只能把注意力集中在眼前的事情上。他们在每一个瞬间中透着生机勃勃的生命力。妈妈难道不觉得，其实孩子们这种对时间的感觉，才是最能够体会人生的乐趣的么？

就让我们慢慢地享受时间的流逝吧

如果我们无论说话做事总是讲效率第一，可能就会失去人生中更为重要的东西了。

即使在工作、生活异常忙碌之时，我们也需要找出时间来剖析一下自己的内心。妈妈们也要找时间好好地注视一下自己的孩子，试试让时间慢慢流逝的感觉。

您可以试着对孩子说："刚才我怎么会那么火气冲天啊？真对不起，妈妈老是这么容易发火。但是妈妈现在已经不生气了哟！"

如果妈妈总是觉得家务劳动堆积如山，养育孩子劳心劳力，不妨试试用一次性的纸盘子、纸碗吃饭。用这个方法能节省很多餐后的收拾时间。带着孩子到街边的小公园里，吃饭团或者三明治也不错呢。这样吃饭就好像在野餐一样，孩子也一定会觉得很欢喜。

只有当妈妈的心情好了之后，才不会整天急冲冲的，这样孩子也会高兴了。当我们寻找到内心的平静之后，也能逐渐发现人生中珍贵的事物了。

“真是对不起啦，妈妈总是这么容易发火。
但是妈妈现在已经不生气了哟！”

无论发生怎样的问题，家长和孩子都要互相拥抱，在彼此的怀里亲热一下，然后真诚地说出：“刚才的事，对不起了。”

5

“我不是说了不行了吗，你怎么这么不懂事啊！”

不想让孩子做什么，他就偏做什么

“你不许四处乱跑！也不许吵闹喧嚣！你看你，又不听话了！怎么我说什么你都好像听不见一样啊！你这孩子真是太没用了……”您是不是也会这样，像机关枪一样对孩子“不许这个/不许那个”的突突连发呢？

但是，无论妈妈如何的“这也不许那也不许”，孩子还是完全不理会，把我们的话当成了耳旁风。其实孩子之所以不理会，是因为他们并没有理解不许做的原因。

如果妈妈不给孩子解释为什么“不许做”，而只是强迫孩子接受，孩子就只会被禁锢得连一点喘息的空间都没有。成年人也是如此，如果老板或者上司总是劈头盖脸地一通“不许这个、不许那个”，我们的心里也会满是伤痕的。

妈妈口中的那些“不许做”到底有多少呢？如果我们仔细数一数的话，可能这个“不许做”的单子长得能绕地球好几圈呢！

其实孩子真正“不许做”的事只有两件而已，即孩子你不能死啊，你也不能犯罪啊，我想有这两个就足够了。

其他的任何事情其实都好说。妈妈不妨这么想，如果孩子正做着一件无关紧要的事，就由他去吧，这样“不许做”的事项就会少很多啦。

妈妈要向孩子解释“不许做”的原因

如果您家是住在公寓楼里，可能会有楼下的邻居投诉，因为孩子每天在家里跑来跑去的声音实在是太吵了。

小孩子精力旺盛，从不会慢慢走，做什么都喜欢蹦蹦跳跳的。但是我们又不能总给楼下的邻居添麻烦，所以可能连家长自己也不情愿教训孩子，但还是得告诉孩子：“不能在家里跑步啊！”

在这个时候，家长就要向孩子解释清楚，为什么不许在家里跑步。如果家长觉得反正孩子也不懂，解释也是白费时间，孩子就只能更迷糊，不懂的还是不懂。

“咱们在楼上走动的话是会发出声音的。要是小孩子总是跑来跑去的，就可能会打扰到楼下的邻居休息了。你要是哐哐哐一跑，人家就会惊醒啦。我们都喜欢安静不喜欢吵闹对不对？所以你以后要注意一点啦。”

如果这么解释清楚的话，孩子就可以理解了。

人是需要和周围的人和谐相处的，家长可以在地上铺一些隔音的垫子，当孩子看到家长这么做时也会有切身体会。

孩子们是最精力充沛的。但是有时候在一些场合，也需要孩子们一定要保持安静。

妈妈在对孩子发火大喝“不行!”之前，先做一下深呼吸。虽然仅仅是几秒钟的时间，但是通过几次深呼吸的调整，妈妈就能想出更好的词语，告诉孩子“与其这么做，不如那么做更好!”这样说更能深入地传递到孩子心里。

6

“你真是个坏孩子！”

这个孩子总是干坏事，我真是受够了

孩子在外面踢足球，不小心大脚开球把邻居家的窗户打破了；孩子和朋友打了起来，人家的家长带着孩子找上门来了。

如果发生了这种情形，妈妈一定会对想溜走的孩子大喝一声："你啊！真是个坏孩子啊！"，这种情况恐怕不少见吧！

但是妈妈只顾着发火，却完全没有告诉孩子为什么他"是个坏孩子"。家长不由分说地就给孩子扣上了一个"坏孩子"的大帽子，可孩子还是不知道到底怎样做才对，家长实际上并没有帮助孩子改正错误。

如果家长对孩子说了"你是个坏孩子"这样的话，实际上就是从本质上否定了孩子，也给孩子的心灵造成了难以弥补的伤害。所以妈妈一定要注意，这是绝对不能说的“危险语言”。

如果我们能够平心静气地想一下，就会发现孩子们有时候可能都会发生一些糟糕的情况，但是没有任何一个是坏孩子。

如果注意到了这一点，妈妈的语言也会相对应地有所调整了。

孩子做事是有理由的，请妈妈能够耐心聆听

如果由于孩子的行为而造成了什么“坏情况”，妈妈就要和孩子一起来处理这个情况。

如果有需要道歉的地方，妈妈就要向对方好好道歉，孩子也要亲自说“对不起”。另外，也给孩子机会让他申辩一下，为什么会出现这样的事情。

虽然打破了邻居家的玻璃，但是“我并不是故意的”，和朋友打架可能是因为“我不想输给他”，让孩子讲一讲他当时到底是怎么想的。

妈妈首先要做的就是先放宽胸怀，认真聆听孩子的想法。在听孩子说话的时候也不要立刻批评“这就是你的不对！”家长应该相信，孩子自己有明辨是非的能力，这一点非常重要。

“这次是我的不对，我做错了，以后一定会注意的。”

如果孩子能如此反省的话，妈妈就不用再多说什么了。给孩子做点他喜欢吃的东西，一起开开心心地聊聊天，吃吃饭吧。

“你为什么会做这样的事呢，
能不能告诉妈妈呀？”

如果妈妈一不小心说出了“真是个坏孩子啊！”这样的话，最好能够立刻纠正过来，说“啊，我说错了。我刚刚想说的是，这真是个坏事情，真麻烦啊！”

7

“怎么说你都不听，你怎么这么任性啊！”

孩子是不会对父母百依百顺的

小孩子主意大着呢，他们总是琢磨着想干点啥。但是，如果总是由着孩子的性子来，妈妈也常常得跟在他屁股后面收拾残局。

“妈妈说的话你要听啊。我们行动做事不能自己想干什么就干什么，得考虑到周围的人啊！”妈妈一定要好好给孩子讲清楚，让孩子接受这个观点。

如果孩子不能理解这一点，而只是听着家长一味地怒骂：“我说什么你都不听！你怎么这么任性啊！”孩子就会觉得伤心委屈，抽抽搭搭地哭出来。这样对孩子的成长是很不利的，他们的心理状态十分不稳定，可能以后会变得更加张扬跋扈。

但是有时候有的孩子能够理直气壮地说出些理

由，让家长觉得孩子好像挺懂事的。但这就像我们抱着一个不知何时会爆发的火药桶一样，其实并不安全。

如果家长非常强硬地压制孩子的个性，让孩子勉强压抑着自己的心思，就有可能会造成拒绝上学、家庭暴力等比较严重的情况。如果孩子的心理不能得以调整，也有可能会发展成更大的问题。

家长和孩子之间要多交流

家长往往很想让孩子上条件比较好的私立小学，但是孩子却可能很抗拒私立小学。在这种家长和孩子的意见相左的情形下，我们在面对尚处年幼的孩子时，一定要注意说话的方式方法。

孩子可能更愿意和要好的朋友一起上家附近的小学，或者孩子可能听说要参加小学的入学考试，多少有点害怕。

“你能不能告诉妈妈究竟想做什么呢？如果你告诉妈妈的话，我们就能一起来想最好的解决方法了。可能妈妈的意见不能百分之百地随你心愿，但是起码能给你提供一个参考。”

如果家长能说出如此体贴的话语，再悉心照料孩子的情绪，倾听孩子的想法，孩子就一定能够说出内心真正的想法。

其实最重要的就是能制造一个让孩子倾吐心声的环境。在我们还不了解孩子的真实想法的时候，一定要先耐心问问孩子是怎么想的。

“可能我不能帮上你太多忙，
但是我很想知道你为什么想那么做？”

“我说什么话你都不听，你太幼稚了！”在一口否决孩子之前，妈妈可以仔细想一下孩子不听话的原因到底是什么。只要知道了缘由，就能互相找出解决问题的办法了。

8

“都是因为你，耽误这么多事！”

做事总不能按照计划执行

有的妈妈在结婚后意外地迅速怀孕了，结果生孩子比原计划的要早很多，于是她们不得不早早辞职在家。朋友传来信息说多年的好友要聚一下，但是孩子还小不能一个人留在家里，所以妈妈连自己最想参加的同学聚会也去不成。如此种种，很容易让妈妈心中堆积很多不满的情绪。

再加上本来计划已久的家庭旅行出发在即，孩子却突然发起了高烧，于是妈妈不得不取消机票、酒店订单，留在家里照顾孩子。真是状况百出啊！

如果妈妈连连遭到如此打击，难免心烦意乱地说出些令自己也很吃惊的话，说完也会后悔不已。

“都是因为你，什么都干不成了！”

其实孩子听到这话，受到的打击会比妈妈更加严重。因为他会觉得自己总是给妈妈添麻烦，总是捣乱，总让妈妈不顺心。孩子也会沮丧地觉得自己变成了妈妈的负担，要是自己不存在的话妈妈就不会这么生气了。

如果一个人觉得自己毫无价值，自己的存在毫无意义的，这恐怕是世界上最悲伤的事情了吧。因此妈妈们一定不能让孩子产生这样的想法。

家长的冲动可能会令孩子非常不安

如果一旦发生什么麻烦的事情，妈妈就立刻劈头盖脸地教训孩子一顿，可能是因为妈妈自己内心深处的一些成长经历使然吧。

孩子的外婆，把我们抚养长大的妈妈，是不是在我们小的时候也总是焦虑不安、心烦意乱、脾气暴躁、紧张不堪呢？

在有了这样的童年经历后，现在作为妈妈是怎样的一个状态呢？是不是完全继承了外婆的那些焦虑不安、心烦意乱呢？

仔细想一想是不是总是觉得，家里即使有老人在帮忙照料孩子，自己也还是忙得焦头烂额；丈夫整日工作繁忙，成天不在家也帮不上什么忙；自己身边连一个能商量事情、吐苦水的人都没有呢？

如果妈妈总是一个人又操持家务又照顾孩子，每天从早到晚忙个不停，可能都难免会心烦意乱吧。在这个时候，妈妈童年从自己的母亲那里感受到的情绪就很容易反映出来。

如果你觉得自己快忍不住要发火了，就赶紧做深呼吸调整一下情绪，让内心冷静下来，让怒火消散一下。

“对不起啦，妈妈正在气头上。
让我深呼吸冷静冷静，稍等我一下啊！”

如果父母总是责怪孩子捣乱、不争气，孩子就会成为一个厌恶自己，对自己评价很低的人。这样的话，孩子更是什么事都不会做好了。因此，如果家长发现孩子有任何一点特长，就应该及时告诉孩子：“你非常棒！你是非常重要的！”

孩子你好可爱， 妈妈很抱歉啦！

第二章

将孩子拒之千里的话

9

“你太烦人了，自己去看看电视吧！”

孩子总是缠在身边，我连家务都干不了

暮色将至，又差不多到该准备晚饭的时间了。可是孩子还是缠在身边，离不开妈妈。妈妈已经陪着孩子玩了很长时间，也有些疲倦了，于是不耐烦地说："你太烦人了！自己去看看电视什么的吧！"这样的场面恐怕每个家庭都经历过吧。

到了傍晚时分，孩子依旧守在电视机旁边看得津津有味，妈妈却在一旁唠叨着："你怎么老是看电视啊！赶快写作业去！（早点去睡觉去！）"

妈妈的说法前后矛盾，让孩子无所适从，自己也变得没有了信用。这样孩子便不再认真听妈妈的吩咐，反正不惹妈妈生气就行。于是孩子开始看着妈妈的脸色过日子。

趁着做晚饭的时候，妈妈不妨和孩子亲近亲近，让孩子也帮忙做饭，打打下手："要不要和妈妈一起做饭呀？你要是能给妈妈帮忙，妈妈可高兴啦！"

孩子从小就能一起参与做家务的话，可以自然而然地掌握很多生活技能。这对孩子的成长是很有好处的，也可以使孩子在生活上更加自立。

即使我手头的家务增多了，但能够一直守望着孩子是很幸福的

做饭、洗衣服、打扫房间……这些家务活我们都希望孩子能够帮忙。但是小孩子常常会帮倒忙，反而让我们的家务加倍。有很多妈妈对此都烦恼不已。

可能妈妈觉得孩子们在添乱，对孩子们抱怨着“哎呀！哎呀！”的时候更多吧。如果我们看到孩子在努力试着做好一件不擅长的家务劳动时，妈妈应该觉得“太高兴啦！”不是么？

孩子们是通过反复练习、反复犯错，来实现自我提高的。我们能够看到孩子如此成长，应该觉得太幸福了。

当母子一起做饭的时候，孩子会感到：“蔬菜有

各种各样的颜色，真漂亮!”在晴朗的日子里晒衣服的时候，孩子特别开心：“今天太阳真好，衣服晒得香香的!”妈妈也可以告诉孩子：“妈妈能有你这么好的孩子，真是太满足了！咱们俩一起来做饭，爸爸一定特别爱吃!”我们能和孩子一起度过这么愉快的时光，真是比什么都开心啊!

当孩子说“我不想看电视，我想给妈妈帮忙”的时候，妈妈应该是最开心的吧。

“比起看电视，

我更想和妈妈一起干活，给她帮忙。”

让特别小的孩子帮忙做家事可能会有点难，但是如果我们能让孩子看着妈妈怎么做家务，一起忙活，也能让孩子获得珍贵的体验，学到最基本的生活技能。

10

“哎呀，不知道。随便你怎么样！”

这个孩子太任性了，总是任意妄为

妈妈可能反复提醒，可孩子还是不肯写作业，总是应付着“一会儿就写!”却还只顾着埋头看漫画。妈妈忍不住就发火了，一通咆哮：“我不管你了！你爱怎么样就怎么样吧!”

但是，如果孩子这时候照做了，妈妈也会继续抱怨；“怎么不早听我的话!”虽然妈妈说了“随便你怎么样!”，但其实也只是随口一说，本意并不是让孩子随性而为。妈妈真正想说的没说出口，自己发了脾气还生了一肚子闷气。

其实这种矛盾的心态和语言不仅让妈妈郁闷，也会让敏感的孩子无所适从。

孩子既不能像妈妈说的那样“爱怎么样就怎么

样”，去看漫画，也不能按妈妈之前要求的那样去写作业。孩子左右为难，无论怎么做都会惹妈妈生气，还要被劈头盖脸地训一通。

最后孩子可能会觉得妈妈发火的样子太可怕了，才不得已去写作业。

但是，孩子在内心深处否定了自己，反复产生被妈妈抛弃的感觉，接下来就会失去自信心。

在责备孩子之后，妈妈要马上进行安抚

很多时候妈妈都是一时生气，在气头上随口甩出几句狠话。虽然妈妈说的并不是真心话，但是孩子听到妈妈硬邦邦地说出“你爱怎么样就怎么样吧，反正我不管你了！”也会受到非常消极的影响。

孩子听了这话后会觉得自己很没用，连妈妈都不再管自己了，更不能被别人所信任。这样一来，就会导致孩子以后在与人相处的过程中，很难接受别人的好意，也很难处理自己的问题。

如果妈妈一时失言，暴怒下对孩子说出了这样过分的话，就一定要当场立刻进行安抚，对孩子好言规劝。

首先妈妈需要转换一下自己的心情，最好马上先

说："不管发生什么事情，妈妈都是最喜欢你的，觉得你是最可爱的！"然后再走到孩子身边，蹲下身来柔声细语地进行安抚："你看这本漫画那么入迷啊！那你能不能告诉妈妈，这本漫画哪里最有意思呢？"

这样的话，也能把妈妈的心思向孩子准确地传达过去："这本漫画真不错呢。好啦，现在该开始写作业啦！"孩子便能够接受妈妈的吩咐了。

“这本漫画书哪里有意思啊，你能不能跟妈妈分享一下啊?”

“这本书还真有意思啊!”“这本漫画还真让人看得爱不释手呢!”如果妈妈能这么说，孩子也能够意识到自己是不是过分专注于看漫画了。

11

“你要是不听我的话，我就告诉爸爸了啊！”

就得让厉害的人治一治他才行

孩子有时候会撒个小谎，或者有时候做点小坏事，有的妈妈会在这个时候吓唬孩子说："我一会儿就告诉你爸爸去了啊!"或者"我回头带你去见警察吧!"这样做的妈妈一定不少吧。

虽然妈妈并没有当场大声嚷嚷或者惩罚孩子，但是吓唬孩子要找更厉害的人、更可怕的人去批评他，这样的做法真的合适么？妈妈说这话时，实际上是把威武的警察、学校的老师这样有权威的人，和大声咆哮可怕的人以及孩子的父亲并列排在一起，这样的做法是否可取呢？

如果妈妈觉得小时候自己的妈妈就是这么说的，所以我这么说肯定也没问题，那您就大错特错了。

对孩子们来说，这些人都是他们在这个世界上最害怕的人。妈妈说了会把自己的错误都告诉他们，让他们来惩罚自己，这样孩子会很害怕犯了错被惩罚，往往以后再想干些什么事情就会因为害怕被批评而罢手了。

如果妈妈觉得“我不能总是对孩子发脾气啊。让别人来治一治他的话，刚好我就没责任了。”这么想可是不行的哦！

与其给孩子讲大道理，不如给孩子讲个好话题

爸爸总是工作繁忙，在家里的时间本来就不多，和孩子一起相处的时间更是十分有限。因此，妈妈对爸爸说起孩子的种种情况时，爸爸基本上都会相信的。如果妈妈告状说孩子犯了错，往往爸爸并不了解事情的具体情况就会接受，不由分说地对孩子一通说教。这种情况时常会出现吧。

在这种情况下，孩子就会对父母产生不信任感，觉得“爸爸完全是听了妈妈的一面之词”。其实孩子这么想也是不无道理的。

妈妈可以从相反的角度来处理这件事情。

“今天你在学校里被老师表扬啦。一会儿爸爸回来了我去告诉他哦！”

妈妈的这一句话就能换来孩子的一夜好梦。在第二天清晨早餐桌上，爸爸一边赞许地微笑着，一边对孩子说：“妈妈告诉我了，你被老师表扬啦！”这时孩子会多么高兴啊！他在晚上做梦的时候，也一定记挂着“爸爸和妈妈在谈论我的事啦，他们在夸奖我！”孩子的梦境也会是充满温暖的。

“我一会儿告诉爸爸，今天宝宝表现得特别好。”

妈妈其实应该时常地反省自己：对孩子说要对爸爸告状的说法是不对的，是不是在孩子面前说了些不该说的重话了……

12

“快点来啊！你们再不来我就走了！”

孩子总是磨磨蹭蹭的，我总是等得心急如焚

有的孩子无论妈妈说什么话，都能分辨出哪句是真哪句是假，哪句是气话哪句是实话，然后他会做出一些出人意料的行动。

临到出门的时候，虽然妈妈站在门口着急发火："你们快点出来啊！再不出来我就走了啊！"但是孩子只要答应一声"马上"或者撒娇"等等我"的话，妈妈就不得不再多等一会儿。如果妈妈发现孩子有这样的行为，就应该反省一下自己平时的行为，因为孩子完全是模仿着妈妈的样子来做的。

母子之间这样妈妈催促孩子拖沓，妈妈再催促孩子再拖沓的做法十分不可取。妈妈和孩子仿佛在做游戏一般，让妈妈的话失去了权威，也让孩子不再听从

妈妈的吩咐。妈妈既然说了话，就要对自己的话负责任。

因此，如果妈妈说了“我先走了啊!”就会真的把孩子放在家里自己走掉。即使孩子尚处年幼，也把他暂时留在家里，自己先走。妈妈说话是要算数的，说过的话就要实现，让孩子了解这一点是很重要的。

我家里的孩子们就很了解我的这种作风，在我的催促下他们会一边忙着答应“稍微等一下啊”，一边抓紧时间。他们都知道一定要在我们约定的时间之内按时完成。

家长和孩子之间要建立起更加信任的关系

在我家里只要我说："再过 5 分钟就出发了啊！如果哪个孩子没赶上，就留在家里，我们就先走了啊！"那么一定会实行的。但听了我的话，可能有的妈妈会这么说："但是，我们家的孩子还小呢，才上幼儿园。把这么小的孩子一个人留在家里可不放心啊。您的做法我可做不到。"

妈妈担心的事情总是无穷无尽的：如果家长不在而孩子一个人在家，如果来了盗贼怎么办？如果发生了火灾怎么办？

可是我非常信任孩子们的能力。我相信他们能够守好这个家，也能保护好自己。我已经从小悉心教会了孩子应该如何锁紧门窗，如果处理厨房里的火源。

我相信他们能够按照我教会的方法执行，如果发生什么事情他们自己也一定能够处理好。

如果家长能够理解孩子的心情，就不会做到过度保护或者过分宠溺。我们完全可以相信孩子能够处理好自己的状况，也能放心让他们放手去做事。

“妈妈对你们一点也不担心啊！”

如果孩子可以不需要别人的帮助，自己就能穿好衣服时，妈妈要赶紧表扬：“真棒真棒！妈妈太高兴了！”夸着养比骂着养好。

13

“小孩子到那边去！”

大人正说话呢，小孩别插嘴

妈妈有时会带着孩子去附近的超市买东西，一起走在回家的路上偶遇到了熟人，于是两个人说起话来。本想只说两句就走的，但是两人只要一打开话匣子，可能聊天的时间就会比预想的要长很多。

两个妈妈碰在一起难免就会聊到丈夫的事，这个说“最近我老公每天回家可晚啦！”那个说“就是的！我老公也这么辛苦，工资也不给涨一涨。”两个人常常就这样聊到一些不想让孩子听到的话题。

在这个时候，有不少妈妈会随手把孩子往旁边一支，“这些话不是小孩子听的。你到那边玩去！”多么自私的说法啊！

其实站在孩子的角度来看，妈妈的说法是很难理解的。即使他老实地站在原地没有出声，但是在心里肯定会抱怨着：“妈妈咱们快点回家吧！哎呀，你们要聊到什么时候啊！”

要是让女孩子在一旁等的话，可能会对妈妈们的聊天内容很感兴趣。她们假装在一旁玩没有听，实际上聊天的每句话都听进了她的耳朵里。这种情况可不少见呢。

妈妈不要觉得，大人的事情小孩子不能插嘴，或者觉得小孩子会给大人捣乱。这种说法其实对孩子也很不礼貌呢。妈妈自己这样的行动和言语才是不一致的，我们一定要认识到这一点。

让你等了妈妈这么长时间呢

如果不想让孩子听到大人谈话的内容，妈妈就要转移位置，而不是让孩子到一边；或者在孩子在场的情况下不说不想让孩子听到的话题。

妈妈应该理解孩子，在等候大人聊天的时候是十分无聊的，所以要适时地对孩子说："让你等这么久，真是抱歉啊。妈妈想了解一些事情，但是要对你们保密啊。妈妈们在聊要怎样才能做出好吃点心的秘诀呢！"我觉得妈妈如果可以这样半开玩笑地和孩子解释也是个好方法。

另外，如果有些话题比较隐晦，确实要回避孩子的话，妈妈就最好不要在路边聊，不要让这样的事情发生。

如果夫妻两人要商量一些很重要的话题，不妨等孩子睡下后再讨论。或者可以在孩子上学之后，两人在家里仔细地商量一番，岂不更好？

但是很多家庭丈夫工作繁忙，回家时已经很晚了。而孩子的学校也是休周六、周日两天的，夫妻双方很难有独处的时间。应该不少家庭会面临这样的困扰。

我给您提个建议吧，我们可以把孩子先托放在邻居家，然后趁周末的一天两人一起出去逛一逛，然后下个周末再把邻居家的孩子请来一起玩，让邻居两夫妻可以有些自己的时间。这个主意怎么样啊？

“妈妈想要了解一些事情，
但是对你们得保密啊！”

孩子不能听大人说话的内容，其实这代表的唯一含义就是：妈妈不想让孩子在大人说话时捣乱。这其实也是家长很自私的行为。

14

“哎呀，得了。反正也指不上你！”

孩子总是不能给我帮点忙

有很多妈妈很擅长对孩子嚷嚷，发起火来也是常事，但是这些妈妈唯独不会表扬孩子。

可能有的妈妈会觉得那些表扬的话太过肉麻了，羞于说出口吧。

但是如果我们能够冷静地想一想，也肯定能够理解，家长和孩子是具有不同人格的独立个体。

所以作为两个独立的人，妈妈也一定不能忘了人际交往的基本准则：该生气的时候可以生气，该表扬的时候也得表扬，另外该讲礼貌的时候也得对孩子讲礼貌。

如果妈妈吩咐孩子做家事，实际上是在为妈妈们帮忙，所以这个时候妈妈应该对孩子表示感谢。

不过也有不少妈妈觉得让孩子干家务是天经地义的，很多人连对孩子说一句“谢谢”都没有。

妈妈不仅不对孩子表示感谢，在孩子没帮上忙或者做得不好时，还会冷冷地甩上一句：“你呀，得了吧，真是什么事都指不上你！”

尽量不要让孩子产生消极的想法

“你怎么连我交代的这么简单的事情都办不好啊！你啊，算了吧！我以后也不指望你干什么了！”

有的妈妈对孩子生气嚷嚷的时候毫不留余地，言辞刻薄，而且完全不给孩子解释的机会，也不知道在事后和孩子和解。

如果妈妈是这种态度的话，孩子也很容易烦躁，再让他帮忙做事时往往会不情不愿，推三阻四。

为了让孩子在以后做事时能够继续帮忙，乐于帮忙，妈妈在事后的安抚就非常重要了。为了不让孩子产生“我的劳动完全得不到家长的认可，我也得不到妈妈的信赖”这样的消极情绪，妈妈就要在事后给孩子加加油了。

可能孩子这次在帮忙做事的时候有点小欠缺、小失败，但是妈妈可以对他们很努力帮忙的态度给予肯定。

“谢谢你啦！你能来帮助妈妈，妈妈真高兴啊！”只要得到妈妈简单的一句话，孩子就能够满足啦。孩子得到表扬会觉得很高兴，如果下次妈妈再吩咐做什么事，孩子也会兴高采烈地去完成的。

“谢谢啦，真是帮了妈妈大忙了。”

其实妈妈在和孩子生气发火之后，自己也是很难受的。在这个时候，妈妈不用强迫自己马上就能转变态度，对孩子强颜欢笑。我们可以稍等片刻，之后找个机会和孩子和解。

15

“你爱怎么样就怎么样吧，反正妈妈也无所谓了！”

孩子总是把东西扔得到处都是，用完也不知道收拾

有的妈妈很爱干净，整天收拾房间，看不惯哪里不整洁。有人习惯所有的东西都有固定的地方，用过之后一定要马上放回原处。这样的妈妈家里都十分干净，各处都收拾得利落整洁，让人一看就觉得心情舒畅。

但是有了孩子怎么办呢？孩子拿着玩具在家里玩得高兴，哪顾得上哪里干净、哪里脏乱呢。孩子是不是也有使用过的东西放回原处的习惯呢？

可能很多孩子暂时还不具备这么良好的收纳习惯。即使是妈妈反复督促："你这些玩具不玩了，赶快收拾起来啊！"孩子肯定也还是会常常收起这个玩

具，而忘了那个玩具。家里也不会像有宝宝之前那样一直保持整洁。

可能对孩子来说，他还想着："这个东西还有那个玩具我一会儿还得玩呢。所以不用收起来，就这么放着就行了吧。"孩子有这种想法是理所当然的，因为他们也有自己的理由和判断。

如果妈妈不能理解孩子的这些想法，总觉得孩子四处乱放东西很烦躁，就会容易忍不住发脾气："你想怎么样就怎么样吧！我说你也不听，以后我也懒得说你了！"但是孩子听到这句话会很难过的。

妈妈的情绪要通过语言表达

妈妈和孩子在行为做事的方式上有所不同，那是理所当然的事情。当妈妈了解这一点之后，就更能和孩子一起悠闲地享受生活的乐趣，而不会再因看到房间稍有不整洁而烦躁不安了。

妈妈不妨可以这样想，房间里就算稍有脏乱也没什么大不了的，最重要的是我们要给孩子创造一个能够快乐嬉戏的安全环境。只要妈妈的想法有所改变，也就能够安心下来了。

不过有时候，妈妈可能觉得家里实在太乱啦，有点按捺不住想赶快收拾干净。这个时候有个好方法，就是“眼不见心不烦”，妈妈不妨躲到一个看不到这些东西的地方。我觉得妈妈可以在家里布置一个专门的角落，叫“妈妈专用空间”。在这个角落里妈妈可以悉心布置一下，让自己有个能优雅写点东西的空间。

等孩子稍微长大一点之后，我想妈妈这时候也可以明确地告诉孩子：“你们拿玩具出来之后，要记得全部收拾好。妈妈最喜欢你们这样干净整洁的样子了!”这样孩子也能懂得帮助收拾了。

通过这样的方式，妈妈和孩子彼此互相理解，互相帮助，母子之间就能更加心意相通了。孩子也会因此更能了解妈妈的感受，配合妈妈的行动。

"咱们一起好好整理一下吧。
这样的话妈妈就会很高兴啦!"

其实在很多时候，妈妈是由于别的事情心烦，而这种心烦意乱无处发泄，就会很容易对孩子发脾气。这一点大家一定要注意哟!

16

“你怎么这么不懂事啊！我是这么教你的吗？”

孩子总是顶嘴

要是孩子对父母的吩咐有什么不满，顶嘴什么的，有的妈妈可能就要发脾气了："你怎么这么任性啊！你这是什么态度啊！也不知道你这点到底像谁！"或者是"你怎么不懂事啊！我是这么教你的吗？我怎么都不记得！"这些妈妈一碰到不顺心的情况首先把自己撇个干净，觉得有问题也都是出在别人身上。

但是，孩子到底是谁抚养长大的呢？肯定是妈妈自己言传身教的。孩子模仿着妈妈的行动和语言慢慢长大，和妈妈的脾气秉性如出一辙。孩子这样和妈妈在各方面都相似，岂不是理所应当的事情么？

而妈妈现在对这些理所当然的事情全盘否定，就会让孩子感觉到"被妈妈拒绝了"以及"被妈妈讨厌了”，孩子肯定会因伤心而放声大哭。孩子在模仿中成长，他们最想成为的就是像妈妈一样的人。而如今连妈妈都如此否定自己了，他们怎么能不悲伤呢？而孩子的这些被否定、被拒绝的感情，也会逐渐向反叛的方向发展。

如果在此之上再补上一句：“你可真招人讨厌！”对孩子来说可是个致命的打击。如果这话是别人说出来的，可能孩子会和这个人从此绝交。

即使孩子顶嘴，妈妈也要以温柔的态度对待

孩子在成长的过程中是有叛逆期的。第一次叛逆期往往早在孩子两三岁的时候就开始了。在这个时期，孩子往往做什么都不愿意，对很多事情都很抗拒。另一方面孩子也会要求妈妈给予自己更多的关注，总是黏着妈妈撒娇，这就是所谓的“返婴现象”。有时候孩子可能会故意说一些过分的话，做一些坏事就想惹妈妈生气。

在孩子度过第一个叛逆期之后，下一个叛逆期就是青春期了。如今青春期开始得越来越早，很多孩子从小学的高年级就开始进入叛逆期了。他们开始和父母顶嘴，态度也显得十分恶劣。

家长在面对孩子的叛逆时总是很担心吧。如果孩

子们对父母顶嘴或者反抗的话，更是会惹得家长怒气横生。

但是，叛逆期是孩子成长过程中的一个必经阶段。大家可以回想一下，自己年轻的时候是不是也都经历过这些呢，请妈妈们一定不要忘记那时候的自己啊！

孩子如此反抗家长的意见，实际上也证明了孩子自己已经有独立的主见了。孩子能够有自己的观点，这是一件很好的事啊！

“所以，果然还是我的亲生孩子啊，跟我年轻的时候简直一模一样啊！”

请妈妈们对孩子的反抗给予充分的谅解和包容，帮助孩子顺利度过叛逆期，给予孩子在成长中必要的关怀。

“果然是我的亲生宝贝，
跟妈妈太像啦。”

其实从成年人的角度看，孩子的一些顽劣态度实际上是一种自我探索。孩子在寻找一种新的表达方式。因此妈妈应该以一种温柔的态度接纳孩子，等他们慢慢接纳自己，等他们慢慢长大。

17

“你啊，根本不像我们家的孩子！”

孩子没有成为我们之前预想的样子

如果孩子没有达到父母预想的标准，从很早开始就有句常用的说辞："你啊！一点儿也不像我们家的孩子！"这句话简直变成了常用的套话，很多父母都是随口就来。

有时候父母完全没有思考这话的深意，往往一遇到孩子表现不好的情况时就会生气，顺嘴就冒出这句话来了。

可能很多爸爸妈妈在小时候也被父母亲说过同样的话吧，那个时候可能也是在某件事上表现得不好，被自己的父母一通怒骂。自己小时候被父母说这话时的屈辱和委屈，你们还记得吗？

"你啊！一点儿都不像是我们家的孩子！我根本

就不认你是我们家的孩子！你在我们家里一点儿价值也没有!”很多时候当孩子被父母亲如此劈头盖脸地大骂一通之后，等到有一天他们也为人父母了，就也会在生气时无意识地对自己的孩子说出同样的话。

这就成了恶性循环，也不知道这样的循环往复何时能够停止。如果我们这一代做爸爸妈妈的仍没有意识，继续把同样的怒火撒给自己的孩子，那么孩子幼小的心灵就会不断地受到伤害，历史会不断地重演。我们不能让孩子们委屈地觉得：“我才不是在这样的家庭里出生的呢!”

妈妈可以把快乐的语言作为给孩子的礼物

大家可以试着回想一下，小时候爸爸妈妈曾经对我们说过什么话，自己当时是什么感受。

可能有的人回想出的是伤心的往事。但是如果我们重温那些难过的回忆，就可以从中吸取教训，不让我们可爱的孩子再受到同样的伤害。我们都希望可以体会孩子的心境，感受孩子的想法，让之前的痛苦回忆不再在孩子身上重演。

然后我们也来想一想，父母究竟要说什么样的话语才会让孩子的内心得以成长，我们应该怎么做呢？

你在童年时期，听到爸爸妈妈说什么样的话是最开心的呢？爸爸妈妈的哪些话是我们即使到如今也难以忘怀的呢？

“你啊，是我们家里最重要的宝贝啊！”

如果我们在小时候听到父母说出这样的话，那么即使长大成人，我们也会为当初父母的言语而满心欢喜。

既然如此，我们不妨也把这样的话作为礼物，送给我们最宝贝的孩子吧。

父母对我们说的话，以及我们对孩子说的话都是一样的，能让孩子心里充满欢乐。

“你啊，是我们家里最重要的宝贝啊！”

“你啊，根本不像是我的孩子！”这句话会深深地伤害孩子的内心，也更会深深地伤害说出这话的妈妈的心呀。

18

“我才不想要这样的孩子，你给我走吧！”

孩子没把交代的事情办好，真是令人难以原谅

有不少妈妈都有过这样的经历：“我还在上小学的时候，妈妈给了我几块钱吩咐我出门买东西。我高高兴兴地出门了，但是走着走着就忘记了妈妈当初吩咐我到底要干什么。天很快就黑下来了，而且很冷。我一个人在外面很着急，拼命向妈妈道歉，但妈妈就是不让我进门。当时我那难过劲儿啊，直到现在我还记得呢。”

现在的孩子，要是听妈妈骂出“我不想要你这样的孩子，你给我走吧！”可能会摆出一副不以为然的样子，说着“是你让我走的啊！那我可真走了！”然后飞了似地跑出门。他们可能会到便利店之类的地方消磨一下时间，然后想着“我肚子饿啦，该回家

啦！”，然后就好像没事人一样回来了。

但是孩子的内心深处其实已经受到伤害了。对孩子来说妈妈是世界上最可爱的人，也是最信赖的人，而妈妈冷冷的一句“我不想要你这样的孩子”，就把孩子全盘否定了。孩子怎么能够平静地接受这一切呢？

即使孩子心中领悟不到这么深刻的内涵，他们心灵所受的创伤也是很难在短时间内得以治愈的。

怎么会不想要你呢，你是我最宝贝的孩子啊

有时候可能孩子由于不小心，损坏了妈妈一直珍藏的某个昂贵的物件。这个东西可能一经损坏就贬值了，或者修理起来会花高额的费用。但是东西毕竟是东西，东西都是可以替代的。

但是孩子呢？孩子才是最最珍贵的宝物。这个孩子在世界上仅有这一个，是无处更换的。孩子才是难以替代的宝贝。

妈妈绝不能忘记了这一点，只顾着眼前而对孩子说出如此狠话：“你这个坏孩子，妈妈不要你了！”我想这样的做法是身为父母绝对的禁忌。

如果父母一时失言，一定要当场立刻进行补救。

“对不起啦。妈妈刚才是一时气昏了头，完全没

过脑子才说了这么不该说的话。你肯定很难过吧。其实妈妈也不想这么生气的。不管发生了什么事，不管你犯了什么错，你都是妈妈最宝贝的孩子！”

妈妈是很有必要说出这样的话的。另外，我想妈妈也可以买一些孩子一直想要的玩具作为小礼物送给孩子，也算是对孩子的一个补偿。

“你是我们无可替代、最最珍贵的孩子啊！”

很多家长都觉着，即使孩子发脾气跑出了门，肯定也会自己先撑不住，灰溜溜地回家的。但是，如果孩子真的离家出走了的话，家长就要难过了。

你果然是个重视家庭的孩子啊！

第三章

制造痛苦的话

19

“你说的谎话，我可都知道！”

孩子总是在编瞎话

其实，在孩子的世界里是充满各种各样的谎言的。对孩子来说现实和想象的世界是浑然一体的，他们很难将其区分开。

“那条线以外就是海洋啦。要是走过去的话可能会被淹死呢。”当孩子沉浸在想象的世界里尽情地嬉戏时，我们大人会不会很羡慕他们呢?

孩子们总是想着“这要是真的就好啦”，然后就把自己的想象随口说了出来。这个时候家长其实完全没必要横眉立目地教训孩子：“你在编瞎话呢，我都知道的。”孩子可能会觉得大人怎么这么缺乏想象力呢?

但是，要是孩子上了初中之后还是不能把想象和现实的世界区分开来的话，可能就有点麻烦了。

有的孩子可能会胡言乱语；“我们家的爸爸妈妈其实不是我的亲生父母，我是从小被他们收养长大的。我的人生有一个非常不幸的故事。”孩子如果自编自造一些情况并信以为真的话，恐怕就患上了一种“虚言癖”的心理疾病。这个时候父母就要密切地关注孩子的病情。

如果孩子总是能够凭借着谎言来换取周围人的关心和同情，一次一次的成功就会使他变本加厉地编造谎言，然后再以更逼真的演技欺骗别人，这样他“虚言癖”的心理疾病就会越发厉害了。

家长要理解孩子为什么会编瞎话

我想有的家长可能担心孩子现在虽然是编点小瞎话，但将来肯定会撒大谎。家长又是担心又是害怕，总觉得孩子如此发展下去会造成不可收拾的局面，所以绝对不容许孩子说半句谎言。

但是，家长这种杞人忧天的想法并不一定会促成良好的结果。有时候我们听到孩子在信口开河地编一些故事时，不妨顺水推舟地应道：“哦？原来是这样的啊。我还真吓了一跳呢。”我想这样的方式能很好地配合孩子，让他发挥想象的空间。

其实孩子们心里很明白，家长其实完全没被骗到。因此，也就不会有发展成“虚言癖”的危险。

爸爸妈妈也不用总拿着“狼来了”的寓言劝解孩

子，说“如果你总说谎，就会失去信用的。以后再说什么别人都不会相信了。”

家长如果以轻松的语气对孩子说：“其实撒谎是件很难过的事情呢，但是你确实是这么想的，是吧?”这样就能向孩子表示家长是能够理解他们的。

这样的话，孩子也能领会到，即使是不含恶意的谎言也是不受欢迎的。

“其实说谎是很难过的吧。
但是你真的是这么想的，是吧！”

如果孩子患上了“虚言癖”，其中的原因之一就是家长经常异常严厉地惩罚孩子。家长的这种暴力行为会促使孩子犯上此类心理疾病。

20

“你就是这样才那么招大家讨厌的!”

真糟糕！孩子在欺负小朋友了

如果家长看到孩子在和其他小朋友玩耍的时候，或者抢过玩具独占，或者恶意地去欺负其他老实的孩子，可能会大吃一惊。

家长会按捺不住自己的情绪，上前教训孩子一番：

“你要是总这么抢人家东西的话，以后谁还会跟你一起玩啊！”“所以别的小朋友才不喜欢你的！”

孩子也是能够理解妈妈的，妈妈希望孩子和其他小朋友好好相处，成为受欢迎的可爱孩子，但是再仔细想一想就不同了。

孩子们可能会想：别人都不喜欢我了，别的小朋友也都不喜欢和我玩了。我可能以后就只能一个人玩了，好孤单啊！

当孩子有些自私、任性或者欺负人的不良倾向时，并不是靠家长的三言两语就能够得以改善的。

妈妈可以做的就是让孩子自己领悟，自己有想改正错误、想变得更好的想法。那么到底怎样做孩子才能自己领悟呢？最好的方式就是给孩子树立一个良好的榜样，让孩子可以尽可能地向榜样学习。而妈妈就是孩子最好的榜样！

运用不同的语言，能够改变人的内心

妈妈与其不停地唠叨指责孩子，不如自己做出好的榜样。我们在平时待人接物的时候要以正确的态度给孩子做示范。

当然我们更要对自己的孩子尽量温柔体贴、爱护备至、宽大包容，绝不要吝啬自己的关心和爱。

对于孩子任性、自私的部分，妈妈尽可以暂时保持沉默，在心中默默理解。

妈妈首先需要做的是一定要认同孩子："其实你有的时候有点自私任性，还有的时候会欺负别人。但是，无论你是怎样的，无论发生什么事情，妈妈都会爱你，都会支持你的！"

在此之后，妈妈更要对孩子加倍地关心体贴，让孩子体会到加倍的温暖和爱意。

另外妈妈一定不要忘记对孩子说：“你真是一个温柔善良的孩子啊！妈妈真的很感动啊!”这样稍微夸张一点的表扬鼓励，会让孩子更加感动。

通过妈妈不断的夸奖和鼓励，孩子也会逐渐克服自己的缺点。

“不管别人是怎么看你的，
妈妈都是最喜欢你的哟！”

无论孩子说什么做什么，妈妈都可以告诉他：“无论你变成什么样，妈妈都是最喜欢你的！”在妈妈温柔的关怀下，孩子的心会慢慢转变的。

21

“都是你不好!”

这个孩子的性格有问题

如果孩子和平时要好的朋友发生了争执或者吵了架，回家后肯定想和妈妈说一说，得到妈妈的支持。可是有的妈妈上来就不分青红皂白，也不问缘由对错，对孩子一通责骂："你啊！怎么总是惹我生气啊！"

妈妈还没等问清楚孩子事实真相，就妄下结论："肯定是你的不对！"这种情况不少见吧。有时候即使妈妈嘴上没说出来，但是心里早就暗暗下了结论，觉得肯定是自己的孩子又闯祸了。

日本人注重谦让的精神，大家总是把自己的想法埋在心里，期望能不与大家的意见相左。这样的话，妈妈经常会不顾孩子正在申辩着自己的理由，就大手一挥，判定了肯定是自己孩子的过错。其实这种情况非常常见。

“这次肯定都是你的错！”当孩子听到妈妈如此的判定，肯定在内心深处十分震惊。他们会开始觉得父母的看法不全是正确的，很多时候都是不可取的。这样的话，实际上对孩子的心理成长造成影响。

请妈妈以加分的方式看待孩子

“可能你的朋友有说错话、办错事的情况，但是爸爸妈妈是不会的哟！”家长要让孩子相信这句话、记住这句话。当孩子相信了这一点之后，在平常和父母亲的相处中就能建立起互相信任的关系。

孩子能否以正确的标准评价自己，能否意识到自己身上存在的不足，这些都是由父母对待孩子的方式来决定的。

如果父母以先入为主的观点，或者抱有偏见来听孩子的说辞，肯定就会更容易指出孩子身上的不足之处。

“你，是爸爸妈妈最骄傲、最自豪的孩子！”

“你的身上其实有很多优点呢！”

如果家长能再对孩子说上这样一句话就最好了。

如果家长以减分的方式看待孩子，孩子的分数就会越来越低；而如果以加分的方式看待孩子，孩子的分数就会越来越高。如果父母总是用减分的方式看待孩子，就只能看到孩子的缺点，孩子也很难进步。而当家长能转换方式，以加分的方式积极正面地对待孩子时，就能看到孩子身上层出不穷的优点。

对于孩子能否看清自己身上的优点，就不需要妈妈来多加赘言了。

“你的身上啊，有很多很多优点呢！”

“肯定是你的错！我一看你这态度就知道了！”有不少妈妈都会如此妄加批评。其实这话不应该是说给孩子的，而应该是说给妈妈自己的才对吧。

22

“真磨蹭，你能不能快点儿！”

孩子干什么事情总是磨磨蹭蹭的

您的家里是不是也常常出现这样的情景，孩子们埋头捧着手机或者游戏机，一本正经地啪啦啪啦按个不停。

可另一方面，孩子们只顾着玩手机了，从来不见他们埋头学习，连换衣服或者收拾房间的工夫也腾不出来。等到临出门的时候，孩子更是衣服也没来得及换，东西也没收拾。

很多家长看到孩子这样，往往气不打一处来："你可真磨蹭啊!怎么搞的啊！你能不能抓紧点时间啊!"可是家长这种唠叨把孩子所有的优点都一概否定，会让孩子们觉得自己很笨，很没有用。

其实家长这样的训斥，会让孩子感觉自己是个吊儿郎当、不学无术的坏孩子。如果孩子做的事被家长这样责骂，他就会感觉自己这个人也被否定了，由此陷入忧郁消沉之中。另外，孩子做起事也会拖泥带水，变得无精打采。

很多时候，妈妈可能并没有意识到孩子的这些心理活动，因此会反复唠叨，一而再、再而三地打击孩子。

我的读者朋友，如果您在读此书的时候能够有所感悟：“哎呀！我还真的没有意识到这一点呢！可能我就曾经对孩子说过这样的话呢！”如果您能够因此而在以后的生活中更加注意语言的重要性，能够在以后对孩子说话时更加注意说话的分寸，那么我的目的就达到了。

孩子做事稍微多花点时间不是个大问题

妈妈不耐烦地催促着：“真磨蹭！你能不能快一点儿啊！”孩子就会觉得烦躁不安，想着“哎呀！又被妈妈说了！”然后孩子就很容易出于自我保护的潜意识而封闭自己的内心，对父母的吩咐“左耳朵进右耳朵出”。因此无论家长如何反复催促，孩子都会无动于衷。

如果家长期望能和孩子心灵相通话，就要在任何场合都绝对禁止说出“伤害”孩子的话语。

其实家长不仅要注意语言，更要注意自己的态度。即使孩子做事慢一点，比预想的多花了不少时间也没关系。请各位妈妈一定要首先调整好自己的态度。实际上这算什么呢，根本不是什么大问题。

孩子在学习的过程中难免会出现失误，难免多花些时间。这些都需要妈妈能够悉心地指导，耐心地守候。

“对不起啊，妈妈之前没有耐心等你。这次你慢慢来，妈妈会一直等你的。”

请您能够这样做，让孩子明白妈妈会一直等待、一直守候在他的身边。妈妈们也要明白，孩子的成长是急不得的。

“对不起啊，妈妈之前没有耐心等你。

你慢慢来，妈妈会一直等你的。”

妈妈用来“等待”孩子慢慢地做一件事的时间，近距离地看清楚孩子的每个举动、每个表情。小孩子总是在我们不经意之间就长大了，妈妈能在等待中看清他此刻的样貌、行动，其实这对妈妈来说才是千金不换的时刻啊！

23

“你无论干什么，都是半途而废!”

放弃啦！我学习这个已经学烦了

如果您家里有女儿的话，很可能对钢琴或者芭蕾舞感兴趣；如果是儿子的话可能对棒球、足球、合气道或者跆拳道感兴趣。

其实往往是家长还没有劝孩子去培养兴趣，孩子自己就主动要求："我想去学这个！"这种情况很常见。

但是等家长帮着孩子把学习的工具都准备齐全，也给孩子报了学习班，孩子刚上两三个月就嚷着"不学了"，说"我学习这个学烦了！"然后孩子忽然又对别的东西产生了兴趣，告诉家长："我接下来想试试这个！"请问您家的孩子，是不是也曾出现过如此情况呢？

其实做妈妈的很想发句牢骚："给你报学习班很贵的！"是不是？而且妈妈也觉得孩子这次也没长性，肯定也学不了几天，然后忍不住责备孩子："你啊，不管干什么，总是会半途而废！"这种情况您可能也遇到过吧。

其实妈妈这样的说法反而真的会导致孩子行动做事半途而废，然后妈妈会更加对孩子失望，如此便造成了恶性循环。在这个时候，家长应该做的是认同孩子，表扬孩子。家长的口头鼓励会转化为孩子的实际行动。

每个孩子都在努力成为自己希望的样子

孩子做事常常会半途而废，其实是因为他们自己并不认为持之以恒很重要，也没有想成为一个做事总是坚持到底的人的想法。

所以孩子在开始关注哪个兴趣点时，如果做了一半发现不像预期的那样有意思，就会立刻放手，投入到下一个事物中去。

我认为家长大可不必去批评孩子的这种行为和想法。反而我觉得家长应该对孩子旺盛的好奇心和不断向前的上进行为大加赞赏一番。

没有恒心，没有毅力，总是不够努力，早早就会放弃，其实孩子的这种行为和态度并不能一概认为都是坏事。每个孩子，其实都在努力成为自己希望的样子。当孩子做事处于这种想法而决定“好了，我要开始进行下一个事情了”是，这是个不错的决定。

但是家长一定要告诉孩子，如果能够坚持一件事做到底，就能体会到无比的成就感和喜悦感。能够有这样的体验也是很棒的。

“你能有这么多的兴趣，爱好这么广泛，真不错啊。如果你能够一直坚持到底的话，一定能更开心了！”请家长如此劝诫孩子，让他们体会到完成时的快乐吧。

“你有那么多兴趣，爱好这么广泛，真不错！如果你能够一直坚持的话就更棒啦！”

家长可以在一旁静静地守望孩子，看他自己完成每天的功课、学习，或者是家务劳动。家长可以等孩子全部完成后再一起庆祝。

24

“长这么大个子，一点儿用都没有！”

你也就个子大点儿，别的都不行

有的孩子发育得早，小小年纪就体格健壮。虽然他的智力水平和行动能力没有如此成熟，但周围的人总是对他寄予过高的期望。

实际上，很多孩子个子长得很高但是精神水平还未成熟，总被人认为是“傻大个儿”，而另一方面，有些孩子个头虽小但是相当早熟，人小鬼大、聪明伶俐。

每个人在成长发育中身体、智力和行动的发展水平都是不同的。在每个阶段有每个阶段的特点，孩子在不同年龄有不同水平的能力，这也是人所共知的。我们成年人可一定不能忘记这一点。

如果不小心忘记了，妈妈就很容易说出：“怎么这么点儿事你都干不了啊！你长这么大个子都白长了！”孩子听了这话后会多么失望，恨不得赶快消失了才好。

家长以轻蔑的口吻揶揄孩子，说他们四肢发达头脑简单，或者说长个大个子也不长脑子什么的，都是非常不好的行为。

如果孩子并不活泼也不好动，家长也不能认为他们就什么也不懂。其实有很多孩子生性老实，性格淳厚，这些孩子的特点是非常善于思考问题，也是不错的优点呢。

只要孩子健康就可以啦

其实无论孩子是胖是瘦，是高是矮，只要生得活泼健康就可以啦。如果爸爸妈妈都能这么想就太好啦！

如果家长能以这样的态度对待孩子，那么孩子自己也不会和其他小朋友去比较体格，而且也能够学会尊重每个不同的个体。

如果您家的孩子如前例所说，年纪不大但是块头大，而且心智行为还是个小孩样的话，妈妈就可以这样对孩子说：

“你的体格这么健壮，心灵也一定是很宽广的。”

妈妈简简单单的一句话，就能将温暖的关怀送到孩子的心底。孩子听了之后，也会因此而形成积极乐观的为人处世态度，充满自信地走上人生的道路，同时拥有一个健康坚定的心灵。

妈妈的内心也会因此更加成熟、更加坚定。让我们一起快乐地面对孩子的成长吧，让我们一起期待孩子美好的未来吧！

"你的体格这么健壮，
心灵也一定是很宽广的。"

妈妈不要总说"你都几岁了，怎么还这样！"或者是"你都上小学一年级了啊！"不管孩子多大，如果孩子想撒娇的话就让他撒娇，妈妈把孩子紧紧地抱在怀里就好啦。

25

“你怎么那么像你爸爸，让人一点儿办法也没有！”

孩子的缺点和他爸爸一模一样

有时候孩子在学校的成绩不好，或者时常忘了带东西被老师批评了。发生这样的情况时，妈妈往往会变得很烦躁，可能一不注意就对孩子横加批评了。

“你怎么和你爸爸那么像啊！真让人一点儿办法也没有！”

而这话是什么意思呢？实际上就是在说自己是个很优秀的人，而爸爸是个很差劲的人。

有时候孩子并没犯什么错，但是妈妈把对爸爸的不满全都发泄到了孩子身上：

“你爸爸总是说工作忙、要加班什么的，其实他肯定是喝大酒去啦！说不定在外面还有小情人了吧。”有时候妈妈对爸爸疑神疑鬼的，就把无处发泄的火气撒到了孩子头上，说“这个孩子太像爸爸，真是没用！”这种妈妈迁怒于孩子的情况非常多。

别看孩子年纪小，但其实对妈妈的这些言行态度，他们是可以非常冷静、客观地对待的。有时候孩子心里明白但是嘴上表达不出来，他们可能也会想：“妈妈为什么不能积极正面地看问题呢？她怎么总是这么偏激呢？”

妈妈可以多多表扬爸爸

小孩子对自己爸爸妈妈的爱，是完全无条件的。因此，当孩子认为妈妈十分为爸爸感到骄傲，常常能听到妈妈充满感情地表扬爸爸、鼓励爸爸时，孩子的内心也会觉得非常充实和满足。

当大孩子听到妈妈夸奖爸爸的时候，可能会显得有点不好意思呢。有时候他们还装出一副没听见的样子，其实孩子在心里暗暗窃喜：

“爸爸个子特别高，样子可帅啦！”

“爸爸比妈妈的力气大多啦！爸爸什么都会干，真是太厉害啦！”

“爸爸在社会上的见识多、知识广，他的意见和想法也特别有道理呢！”

大家不妨在家里如此对爸爸赞不绝口，也让孩子听到对爸爸褒奖的言语。孩子听到这话，就会感觉妈妈好像在夸自己一样，非常高兴。另外，“赠人玫瑰，手有余香”，妈妈每天都说着积极的语言，也一定会令自己的心情舒畅的。

夸奖的语言永远比责备的语言要好。我们不妨就凭这些积极的话语，让全家人都感觉到幸福吧。

“爸爸是不是很棒，很厉害啊！”

“爸爸个子很高，力气很大，让人信赖”，这些都是平常一些固定的说法，妈妈可以常常用来称赞爸爸。另外如果妈妈能对孩子说：“你看爸爸笑起来多开心啊！”“坐在爸爸的肩膀上，是不是特别舒服啊！”这样的褒奖更能促进父子之间的深厚感情。

26

“你太不把家长放在眼里了，怎么这么任性!”

你小的时候可不这样，小时候比现在可爱多了

当孩子升入小学高年级时，有时会和家长顶嘴，有时还会反抗家长的要求，这些大家都知道吧。

其实我们也懂得这就是孩子进入叛逆期的特征，但是心里一边想着这些，一边生气地教训着孩子："你怎么这么不把家长放在眼里啊！你怎么这么任性啊！"这样的妈妈也是有不少的吧。

还有的妈妈可能会生气地嚷嚷："你也不想想，你能长这么大都是靠谁啊？是谁养活你的啊？"这样把父母的恩情挂在嘴边的妈妈也有不少吧。

要求孩子感谢父母，尊敬父母，这些都是我们从小以来所接受的教育。但是有时候，这些要求对孩子来说是有些强求的。

如果妈妈一再强调家长为孩子如何辛苦，如何操劳，孩子反而会产生一种“那好吧，以后我不用你们管了，我自己的事情自己会看着办!”的想法。

在现实生活中，有的女孩子初中毕业后就脱离家庭走向社会，开始自谋生路。也有很多孩子想着要尽早离开家长的保护，能够自己独立生活会更加快乐。他们都希望不接受父母的帮助，也不接受父母的影响，能够走上自己选择的人生道路，过上自己真正想要的生活。

孩子的成长也是家长的成长

孩子虽然年纪小，说话也有些任性，家长并不放心让他们自己行动，但是，我希望各位妈妈能够试着放宽心，试着包容孩子的一切。

这话说起来容易，做起来可就相当有难度啦。孩子不断地成长，我们家长也要不断地追赶孩子的脚步，不断成长。否则，我们就落在孩子后面了，就会碰到很多难以处理的事情。

在这里，我有个好方法想介绍给大家。

我们可以在夫妻之间试着探讨一下，“其实孩子的成长并不是谁的功劳，这都是孩子自己的能力。我们作为家长，其实只是在孩子的成长道路上帮了一些忙而已。”我听到有的人这样说，对于这话你是怎么想的？

孩子在和朋友的交往中逐渐成长，我们家长也可以在不断地探索中慢慢摸索育儿的方法，和孩子共同成长。

"你这么自强自立，这么值得信赖。
妈妈真的很为你骄傲啊！"

如果孩子对家长的关心照料表示感激，家长也可以把真实的意图告诉孩子：我们虽然在生活起居上照顾你，但是我们能做的是有限的。我们只能在你的成长道路上帮忙，而你的人生是靠你自己的力量来度过的。

27

“你可能还觉得自己挺不错的，真让妈妈笑话!”

孩子总喜欢穿着奇装异服出门

有的孩子很崇拜某位歌手或者某位明星。她们总喜欢打扮得和偶像一模一样，甚至连出门的时候也穿着引人侧目的奇装异服。这个时候妈妈应该怎么做呢？

“你穿的这是什么怪衣服啊！赶快给我脱下来！你自己还觉得挺好看的呢，简直是招人笑话。”

如果妈妈如此冷嘲热讽，孩子会听你的话，立刻顺从地换装么？我想妈妈这样的说辞不仅完全没有效果，甚至会起到反作用。孩子会将妈妈的意见当作耳旁风。妈妈越是反对，孩子越是会变本加厉，做更加另类的打扮。

为什么会这样呢？这是因为，妈妈的话被孩子听到耳朵里是被理解这样的："你这副样子真是让我笑话啊。对不起啦，但是我更看重世界上其他人的看法，他们的意见比你自己的喜好更加重要。"

这是多么冷漠、多么生硬的话啊！有很多孩子在听到妈妈如此评判之后，也会变得心理淡漠，甚至更加和家长疏离。

不仅如此，有的孩子的逆反心理还会因此加重，他们会为了挑衅父母而做出一些另类的举动。

你现在的样子妈妈就很喜欢

妈妈觉得外人会笑话自己的孩子衣着打扮的想法，其实都是自己先入为主的观点。世上的人哪有那么多闲工夫，他们才不会那么关注别人的事，也没时间每件事都替别人操心。

假如真有这样的闲人对你的孩子说：“你的家长都是怎么教育你的啊？我真想见识见识他们啊。”妈妈就可以坚定地告诉孩子：“不管旁人怎么说，我都会给你撑腰的！你无论是什么样子，妈妈都是喜欢你的。”

“这个孩子是我生的、我养的，而且我愿意继续抚养她长大。可能我觉得她有些地方存在不足，但是这些都是孩子本来的样子。作为家长，我们不能让孩子百分之百地听从家长的指令。家长有家长的想法，孩子也有孩子的意愿。我尊重孩子自己的想法，我也会尽量支持她的喜好和选择。我会认同孩子的感受。”

如果妈妈能在关键时候说出这样的话，表达出这样清晰的观点，孩子就能充分地信任母亲。在信任和尊敬妈妈的基础上，孩子怎么能不越来越喜欢妈妈呢？

我们都想有这样亲密无间的母子关系吧。

“你是我的孩子，无论别人怎么说，妈妈都会支持你的。”

妈妈不妨用这样的语言来劝勉孩子：“你和妈妈的审美观点可能有点不同，不过妈妈可以尊重你的感受，我们都来相信彼此吧。妈妈相信你一定没问题的。”

你的内心充实，妈妈非常骄傲！

第四章

为孩子着想而说的话

28

“你倒是拿点干劲儿出来啊，只要肯干就没有干不成的事！”

孩子怎么就不肯认真做事呢

“你只要肯干就一定可以的。”“你只要行动起来，事情就一定会有变化的。”这些话其实很有道理，事实也是如此。

但是我们经常想做件什么事的时候却怎么也开不了头，因此人就很没有“干劲儿”。这种状况大人和孩子都是一样的。

在这种情况下，我们不应刻意要求孩子：“赶紧拿出干劲儿来啊！”而应该帮助孩子找到做事的契机，给孩子开个好头儿。

我认为孩子无论长到什么年纪，他们都愿意和妈妈一起行动，希望能和妈妈一起分享喜悦。

所以当妈妈感觉到孩子没什么活力，或者没有兴趣的时候，不妨这样邀请孩子："要不要和妈妈一起出去遛一遛，散散步呀?"

有时候我们出去走一走，活动活动身体就会觉得头脑清爽许多。孩子和妈妈边散步边舒展了身体，放松了大脑，连难搞的作业题似乎都变得容易起来。散步归来，孩子就有精神继续写作业或者做事了。

孩子坐到书桌前时，妈妈也不妨在一旁指导孩子学习，不时问问他："哪里不会啊，今天学到哪里了啊?"这些都是不错的方法呢。

妈妈可以给孩子鼓足“干劲儿”

我这里有很多好方法可供妈妈们参考。将这些方法应用起来可以给孩子加油，帮助孩子鼓足“干劲儿”。

“让你拿不出‘干劲儿’的‘气’在这呢，妈妈拿走啦！妈妈把这些都‘嗷唔嗷唔’地吃掉啦！好啦，妈妈肚子吃得好饱啊！”

“作为补偿，妈妈这里有很多‘干劲儿’哪，就送给你当礼物吧。你来把它们吃掉吧，吃完就会觉得神清气爽，‘嘭——’的就充满精神啦，是不是！”

妈妈生动活泼的话语就好像做游戏一样，让孩子在不知不觉之中就能够转换心情，变得更积极更上进了。

无论孩子有什么打算，想做什么事，妈妈都不妨陪在一旁温暖地守望。当孩子有些倦怠、兴趣不高的时候，妈妈就要站出来帮助孩子打起精神，鼓足“干劲儿”，这样孩子行动的能力就能提高了。

“干劲儿”——孩子自身所具备的能力。妈妈要做的仅仅是守护孩子，任孩子自由地发展。所以育儿法里最重要的一条就是，家长要相信孩子，守护孩子，让孩子尽情地成长。

“妈妈把自己的‘干劲儿’当作礼物送给你啦！”

“哎呀，这么快就做完啦！你可真棒啊！”“你一做起来真有效率呀！”“太聪明啦！”妈妈的这些鼓励也会让孩子更有“干劲儿”的。

29

“一会儿再玩不行么，再加点油吧！”

孩子总是懈怠，不努力可不行

“你老这么放松可不行啊！”“你学习可得加油了啊！”家长虽然时常这样唠叨，但孩子的心可不会一下子沉静。

其实家长动不动就禁止这个禁止那个，动不动就下命令，会让孩子感觉很烦。而且孩子很容易对这些语言产生矛盾和歧义。

“放松”这个词本来的意思是指通过一些活动，让人感到轻松快乐。即使身处紧张的环境之中，如果本人能够放松下来，也不会感觉苦闷。

但是有很多妈妈都是这样教训孩子：“你可不能放松啊！”这样的话实际上暗含孩子连休息也不行，疲惫也不行的含义。

另外，妈妈也给“加油”这个词赋予了历经艰辛、埋首忍耐这样的意思。妈妈让孩子加油，实际上就是强迫孩子一定要吃苦。对孩子来说，妈妈的这些劝诫很容易被误解，妈妈的提点也很容易被孩子忽视。

因此，让我们一起来探讨一下，妈妈说什么样的话才能更快地影响孩子，让孩子能够积极地响应吧。

让孩子能够自然而然地努力加油

“怎么样才能达到轻松快乐呢？在我们为了做一件事而不断努力的过程中，是能够体会到的。”

“如果我们能够找到一件事，在做这件事的时候非常快乐、非常努力投入，能这样的话就是最好啦。”

“你看妈妈正在做××（如织毛衣、绣十字绣、插花等）呢，妈妈觉得特别快乐。又高兴又有意思，常常做着做着就忘了时间呢。”

如果妈妈能这样启发孩子，孩子也会很兴奋地想：“太好啦！我也想试试这滋味！”妈妈不用一味地劝勉孩子要加油、要努力，孩子也会自然而然地产生自己也可以为一件事努力，尝尝最后成功时快乐的感受。

妈妈可以仔细观察孩子在家的情形，然后这样对孩子说：“妈妈刚才看到你一直做××（如读书、做手工等）的样子，你看起来特别投入、特别专注呢。”妈妈用这样赞扬的语气鼓励孩子，也会令孩子感觉更快乐。

当孩子为做作业而烦躁难安的时候，妈妈也可以对孩子说：“你写作业的时候也能专注投入就不会烦躁啦。咱们一起来唱个歌，转换一下心情吧！”然后这个时候妈妈可以和孩子一起唱一下《ABC之歌》或者其他耳熟能详的童谣是最好不过啦！

妈妈要让孩子看到，通过努力才能获得的快乐

孩子会对自己感兴趣的事物非常积极，愿意多学习，多练习。因此妈妈可以积极引导孩子："这个真有意思啊！这个真好玩啊！"这样孩子就会逐渐产生兴趣，逐渐主动做事了。

30

“我是为你着想才这么说的！”

我作为家长，要为你的未来着想啊

“你来干这个！你去做那个！”如果妈妈总是把孩子指挥得团团转，孩子恐怕就会翻着白眼，摆出一副“受不了”的表情了吧。

出现这种情形，妈妈不想被孩子讨厌就会常常说出这些话：

“我不都是为你好，为你着想嘛！”

“我都是为了你的将来考虑的！”

但这才是真真正正的谎言呢！妈妈其实只是想让孩子按照自己的意愿做事。而且妈妈都觉得自己的想法肯定没错，孩子必须要听从自己正确的指令，于是硬要孩子强行接受自己的想法。

如此态度强硬的妈妈，她们总是以批判的态度来看待孩子，而这些她们自己都有意识么？

我在进行临床心理咨询的时候，不仅能听到家长的意见，也能听到孩子的观点，所以我完全能够了解孩子的感受。

有的孩子曾经这样说：“我妈妈啊，她总是喜欢对我大吵大叫的，她说我总是惹她生气，她还总是指挥我干这个干那个的。她做的这些可能只有她自己觉得都很好吧。对我发了脾气她自己就感觉满足了吧。”

妈妈没有必要说教或者长篇大论

如果家长真的想要管孩子，可能在一天中对孩子的各个方面都会百般挑剔，什么都想说出来点评一下。

如果孩子给头发染了一个鲜艳的颜色，买了一个名牌的商品，妈妈往往会看不顺眼，但这个时候只说一句就好了："你这个样子和我的审美可能不太相符啊。"这句话表达了妈妈自己的观点，没有必要长篇大论地说教一番。

是不是有很多家长都担心，如果家长不对孩子耳提面命地指点，孩子就会逐渐堕落下去。其实不是的，没那么严重的。我们往长远看，家长的言传身教会对孩子产生影响的。家长与其命令或者责备孩子，还不如耐心地把道理讲给孩子听。

比如说，妈妈不妨放下身段，想一想用什么样的语言孩子才能接受：“妈妈有点建议想和你说说，你来听听好不好啊?”

妈妈可以说：“你要是做完这些的话，妈妈就给你冲一杯好喝的饮料，咱们一起吃点心怎么样?”妈妈这样的言语能给孩子营造一个良好的氛围，让孩子很愿意听从妈妈的意见，也十分期待之后美好的享受。

这样的话，很多事情就都能顺利地进行下去了。真的有效果哦！你可以亲自试一次，这样就能亲身感受到这种神奇的效果啦。

“妈妈有点建议想和你说说，你来听听好不好？”

“关于你的某件事，妈妈是很了解的。”妈妈在和孩子交流的时候，说这些就足够了。因此，“请你一定要这样做！”这样的话妈妈就一定不用再加上了，否则就显得过于累赘了。

31

“你说这么异想天开的梦话，是绝对做不到的啊！”

孩子常常说一些匪夷所思的话

与被常识束缚的成年人不同，孩子们常常抱有一些不切实际的幻想。“我想像鸟儿一样在天上飞翔！”“我想变成宇航员登上太空！”有很多孩子在被问到未来的梦想时，会一本正经地如此回答。

如果孩子尚处年幼，家长就常常会被他们这些天马行空的话逗笑，觉得他们年幼无知，天真无邪。

而当孩子年纪稍微大了一点后，再说什么“我想去上课，学习当艺人！”或者“我想成为游泳运动员，参加奥林匹克运动会！”或者“我想开个大公司！成为亿万富翁！”再或者“我要进行发明创造，然后震惊世界！”之类的话。家长听到后就常常会对此嗤之以鼻，然后给孩子泼一盆冷水，将孩子的梦想就地粉碎。

“你说这么异想天开的话，是绝对做不到的！”

这话对孩子来说，简直是当头一棒，一下就打击了孩子的积极性。当家长断言孩子肯定做不到时，孩子马上就会失去自信变得垂头丧气。在孩子还完全没有开始做任何事时，家长就已经将一切可能性都否定了，这样做并不会带来任何好影响。

家长信赖孩子、鼓励孩子，孩子就能发挥出更多的实力

当孩子自信满满地畅想未来、表达梦想时，他确实是将实现梦想的可能性掌握在自己手中。

但是这些梦想在有的家长看来却是白日做梦，是很危险的想法，他们忍不住给孩子浇一盆冷水："你想得太容易啦！这个世界上哪有那么简单的事啊！"

其实当家长说这话时，他们的心里是充满不安和担心的，而且不见得是出于对孩子的爱。

很多时候父母都希望通过否定孩子来确保自己在家的权威和地位。如果这样想的话就大错特错了。虽然父母觉得告诫孩子放弃不切实际的梦想是出于爱孩子，但实际上这只是家长的错觉。

如果父母真心为孩子好，真正爱孩子的话，就会无条件地相信孩子："如果你想做的话，就肯定能做到的！"

"妈妈绝对相信你的，你一定可以的！"当听到妈妈如此热情的鼓励，得到妈妈如此的信赖之后，孩子也会产生强烈的求胜欲望："好的！我一定要努力！"之后孩子也能够超常发挥出自己的实力。为了得到爸爸妈妈的欢心，为博得父母一笑，孩子是能够努力将不可能的事变成可能的。

“你肯定能做到的。妈妈相信你！”

孩子的梦想是会随着年龄的增长而改变的。而梦想的变化也证明了孩子对自身认识的变化和对自身成长的认识。

32

“你怎么就不能像别人家的孩子一样啊！”

孩子总是比不上其他的孩子

有时候家长很喜欢把自家的孩子和邻居家的孩子拿来比较。总觉得别人家的孩子学习成绩又好，运动能力又强，人缘又好，朋友又多。真是越比越羡慕，越比越觉得比不过人家。

“你怎么就不能像那个孩子一样啊！”

家长叹口气，不自主地就说出这么一句话来。

如果妈妈说出这样或者哪怕只是心里动了这样的念头的话，其实都会对孩子造成严重的伤害。

这样孩子会觉得达不到妈妈期望的水平，很羞愧，自信心也受到了打击。他们还会想着：“看来我的妈妈更喜欢邻居家的孩子啊！”孩子也会因此苦恼不已。

另外还有一种反向的比较，是当妈妈把自家的孩子和邻居家的孩子拿来比较时，觉得别人家的孩子学习成绩也不好，体育也不好，人缘也不好，也没什么朋友。简直哪一点都不如我们家的孩子。

而当孩子看到母亲做这样的比较时，其实也会想：“如今我虽然比得过邻居家的孩子，但是肯定不能超过所有人，总有我比不上的人。看来人人都在别人心目中被比较、被评判啊！”

每个人都是独一无二的，所以不用比较

每个人都有各自擅长的方面，也有不擅长的方面。人与人之间各有差异，每个人所擅长的方面也有所不同。如果能够理解到这一点，各位妈妈就不会任性地对自己的孩子寄予过高的期望了。

“那个事情怎么那个孩子就会，而你就不会啊？你得努力啊！说不定努努力你也就能成了呢！”

妈妈总觉得对孩子多唠叨几遍这样的话是在激励孩子，而实际上完全会产生反效果。孩子会因此而承受很大的压力。

如果妈妈真的想鼓励孩子上进，最好的方法就是妈妈先要改一改自己的坏习惯，首先要做的就是改掉把人和人比较的习惯。

“妈妈又把不该放在一起比较的东西放在一起了，妈妈这次是错了呢！”如果妈妈能够在孩子面前诚实地承认自己的错误，就能和孩子一起都感觉很放松。孩子也会因此更加充满信心的。

“妈妈觉得，你现在这个样子就特别可爱呢。你这个样子妈妈就特别喜欢哟！你是独一无二、与众不同的，真是太了不起了呢！”如果妈妈不小心说了比较的话，也可以这样进行补救。这样温暖的语言，一定会赋予孩子力量的。

“你就是现在的这个你，妈妈就好喜欢哟！”

“这么简单的事，怎么我们家的孩子就是不会呢！”妈妈与其担心这些，还不如见证着孩子慢慢地成长，从不会到会的过程。这样会更开心的！

33

“你是做哥哥/姐姐的，不觉得丢人么？”

妈妈照顾弟弟妹妹够操心的了，你就老实点吧

当生了第二个、第三个孩子之后，妈妈每天要家里家外忙个不停，很容易就忽视了老大，对他的照顾不如以前周到。当家里只有一个孩子的时候，全家人都能集中精力照顾这一个，但是当妈妈又生了弟弟妹妹之后，老大很容易就被冷落在一旁。

其实如果我们能站在孩子的角度想一想，就能理解老大有多么难过。在他们小小的胸膛里充满了苦楚。他们觉得妈妈被弟弟妹妹抢走了，妈妈更爱弟弟妹妹，妈妈不再爱自己了。

本来孩子内心中就充满了不满和痛苦，而这个时候忙碌不停地妈妈如果再追上一句："你都是这么大的孩子了，能不能老实一点，不让妈妈操心啊！这么

点事自己都干不了！你都是当哥哥/姐姐的人了，就不觉得害臊么?”听到妈妈这样硬邦邦的话，老大的心里该有多么难过啊。

可能妈妈觉得自己是为了孩子的成长而以严厉的口吻激励孩子，但实际上这样冷漠的话语只会给孩子带来自卑感和屈辱感，并不能起到任何好的作用。

家里的老大其实也是孩子，他并没有因为妈妈生了小弟弟、小妹妹就一下子长大成为成年人。而且如果老大迅速成熟也不见得是件好事。所以妈妈一定要注意，不能要求孩子立刻就进入哥哥/姐姐的角色中去。

你们都是我的孩子，我爱你们

家长常常在自己不经意之间就以“年龄差别”给孩子区分了不同的角色。我们擅自决定“老大就应该这样做，老二就应该那样做。”这是多么不讲道理啊！

孩子能够敏感地察觉到家长的想法，当他们发现家长“希望他们这样做，要求他们那样做”时，往往就会打消自己真实的想法，而想方设法地努力去实现家长的期待。

而这样辛苦的孩子怎么能够感到幸福呢？

“当哥哥/姐姐真是没意思啊，我总得干这干那的。我要是没有弟弟妹妹就好了。”如果老大对家长和弟弟妹妹心怀不满的话，是很难感到幸福的。只有当老大觉得“得到弟弟妹妹好棒呀！”的时候，他们才会感到快乐。

而孩子是否能够领会到这些，是否能够感到快乐，都需要妈妈及时的应对措施。无论是老大、老小还是中间的孩子，妈妈都要充满爱心，并将自己浓浓的爱意传递到每个孩子的心中。

当孩子能够体会到妈妈的爱，信任妈妈的感情时，他们也会主动地把兄弟姐妹看成是最亲密的人。

“你能当小哥哥/小姐姐真棒啊！来和妈妈一起照顾弟弟妹妹好不好啊？”

家里孩子一多，妈妈又要照顾家事又要照顾孩子，简直忙得焦头烂额。很多妈妈常常因此忘记对孩子表达自己的关爱之情。所以我建议妈妈每天至少要花1分钟的时间，好好抱一抱每个孩子，和他们亲近一下。

34

“你哥哥/姐姐才不会做这种事呢！”

这个孩子比他的哥哥姐姐更让家长操心

您可能会碰到这样的情况：家里的老大从小就很老实听话，不用家长过多操心。而且老大的学习成绩也好，各方面都不错，但是老二就是完全不同的类型了。在这种情况下，家长很容易对老二严加要求，过多批评。

“你的哥哥姐姐像你这么大的时候，这些东西都会的呀！”

这些话，可能您也会常有耳闻。说不定在您小时候就曾经被家长这样批评过，现在每每回想起来，心里还会隐隐作痛吧。

家长常常会将家里的几个孩子横加比较，一分高下。这个时候无论是被表扬的孩子，还是被批评的孩子都会有所不满，有时候孩子还会反过来批评家长，不应该把几个孩子拿来比较。

难得几个兄弟姐妹之间的情意深重，却被父母的比较干涉，使原本亲密的感情也变得生分起来。这种情况普遍存在。

另外，得不到表扬的孩子常常会觉得羞愧内疚，忧郁不已。经常想对父母顶嘴说："我其实也是有不少优点的!"但是他们愤怒的时候脑子里一片空白，想不起来该如何辩解。于是形成恶性循环，会更加加深他们内心的不满。

我们家的孩子都是很棒的

家长要注意尽量不要说出“你哥哥姐姐当年就没干过这样的事，你就该和他们学一学……”以及“你这个孩子真是家里最没出息的！”这样的话会像烙印一样深深地印在孩子心里。即使家长只说了一次这样的话，也会给孩子带来一生不可磨灭的伤害。孩子也会因此而变得自我否定，产生一系列消极的想法。

如果家长没有考虑到这些，而一怒之下对孩子横加批判，就要立刻反省自己，并想办法帮助孩子抚平内心的伤痕。这时候家长可以这样对孩子说：

“你们几个互相成为兄弟姐妹，真是一件美好的事情！你们有很多地方彼此相似，又有很多地方彼此不同。每个人都有自己独特的个性，这真是了不起啊！你们几个现在的样子，妈妈都觉得好可爱。妈妈好爱你们啊！”

这些话语，如果家长从孩子们年纪很小的时候就能这么说是最好的了。如果孩子已经长得很大了也没有关系，一点也不迟。无论在什么时候，孩子只要听到妈妈的赞许，听到妈妈说非常喜欢自己，都会变得心胸更加宽广，也会变得对别人更加尊重，对兄弟姐妹充满情意的。

“有兄弟姐妹真是太棒了！”

家长希望孩子可以少让人操心，希望孩子的学习成绩优秀，更多的是从效率优先的角度考虑的。而妈妈真正应该要做的是：让孩子的内心充分地感受到爱与关怀。

35

“你不是男孩子么，给我忍着！”

因为你是男孩子呀，因为你是女孩子呀

之前我讲过，有些父母会在不经意之间，将孩子以“年龄差异”而区别对待。与此相同的是，家长也会将孩子以“男女差异”而区别对待，要求“你是男孩子，所以要这样做！”或者“你是女孩子，所以要那样做！”

在这里，我以男孩为例来试着给您分析一下吧。

如果您家里有个男孩子，那么他的性格特点肯定不是三言两语就能概括的。有的男孩子善于思考，有的男孩子自我意识很强，有的男孩子优柔寡断。有这些特点的男孩子很多，这些也都是每个孩子自己天生的特点。

但是有很多母亲却不能认同自己孩子的特点。她

们总是万分焦急，觉得孩子不够强、不够好，将来也肯定会受挫折。“男孩子是不能哭的！你得忍耐啊！”妈妈给儿子下了这样的死命令，要求孩子变成“强大的男子汉”，从小就严格要求。

您能察觉到么，孩子在家长这样的意识压迫下难以喘息。无论是男孩子还是女孩子，都十分看重父母的言论，所以即使自己勉强而为也要达到父母的要求。在这个时候他们否定了自己本身的特点，为了父母高兴而逞强。实际上孩子的内心被压力折磨得非常痛苦，难以自拔。

不要给孩子定型，不要给孩子框架

有的男孩子天生性格比较柔弱，动不动就会哭鼻子。当他碰到一个状况本来很想哭的，但是很努力地忍耐住了的时候，家长最好马上给他鼓励：“好棒好棒！你真是太厉害啦！”

在这种情况下，家长要尽量回避说“你是男孩子啊！所以要这样做啊！”“你是女孩子啊！所以不能那样做啊！”

如果父母总是对孩子指挥来命令去的，不让孩子做这个也不让做那个，就将孩子的自由剥夺了。孩子失去了行动的自由，心灵就会萎缩。有时候孩子这种委屈的情绪，可能会以妨害他人自由的形式爆发出来。

如果家长能够完全认同孩子，无条件地接受孩子，孩子就会变得多么自在、多么欢喜啊！

如果家长能够不将孩子放在一个框框里固定下来，让孩子得以自由自在地生长，他们才会变成最聪明、最快乐的孩子。

一个又聪明、又快乐的孩子，无论何时都能按照自己的心愿行动。当家长看到孩子这样自信快乐地生活时，也会心有所安的。作为家长也会更加充满自信。

“你无论在什么时候都能按照自己的心愿行动，真棒啊！”

家长不用要求孩子因为是男孩或者女孩就一定要怎样做。家长真正要做到的是，希望孩子能够“按照自己的想法做事”，让孩子能够决定自己的人生。

你本来的样子妈妈就很喜欢！

第五章

边叹气边说的话

36

“你怎么注意力一点儿都不集中啊！”

孩子怎么总是心不在焉啊

妈妈要求“赶快做作业吧!”可是孩子坐到书桌前不到五分钟就坐不住了。坐在电视机前看电视也总是安静不下来，手里拿着遥控器噼里啪啦地一直换台。家长仔细回忆一下，孩子是否总是精神涣散，别人说话的时候也总是一副心不在焉的样子。

“你啊！怎么注意力一点儿都不集中啊!”

有不少妈妈一边叹气，一边无可奈何地责备孩子。

无论家长怎么督促，孩子都是一副散漫好动的样子，一刻也停不下来。妈妈的提点总是在做无用功，孩子还是不能把注意力集中起来。

其实语言的力量是很强大的。家长的话通过孩子的耳朵传入，进入他的脑海中就能影响孩子的行为。人的语言中蕴含声音的振动以及声波的波动，会通过对骨头的震动影响到孩子的内心深处。因此有“彻骨入髓”这样的说法。也就是说，通过不断的语言刺激，会影响到人的内心深处。

因此，如果家长总是反复说孩子“你没有集中注意力!”，日积月累孩子就会认同这个观点，真的再难把注意力集中起来了。

家长给孩子摇旗助威吧

如果孩子在做事时精神涣散，是因为他对正在做的事失去了兴趣。如果他觉得所做的事情非常有意思就会非常专注，注意力也会集中起来。

各位妈妈请将这点记在心里，下次再看到孩子兴致索然时，不妨这样说试试看：

“你可能现在觉得做这件事有点无聊，但是只要你能够投入进去，就会收获很多的。你要不要试试看，更加专注一点、投入一点。然后你肯定会发现这件事会越来越有意思的，你也会越来越熟练的。”

这些话可能听起来有些老生常谈，但确实是很有效的。当孩子们能够愿意“让我专注地做一次试试看”，能够体会到做事的乐趣时，就会产生想努力的念头了。

即使孩子很快厌烦了，妈妈也要给孩子加油“那你下次再试着做一下好吧!”鼓励孩子下次能够做得时间再长一点。

不管事情是有意思也好，没意思也罢，孩子在做事的过程中都能体会到自身的变化。他们自己也能开始变得更善于做事，善于学习。

“你静下心来试试看吧。你一定能做好的！”

“你的注意力不集中！”“你总是不能够忍耐！”有些妈妈总是不断如此指责孩子。我建议这些妈妈在评判孩子之前先反省一下自己，看看自己是否也有类似的不足之处。

37

“你啊，真是没长性啊！”

孩子只会嘴上说说，却不能坚持下去

每到新年之际，孩子都会燃起希望，计划着“从今年开始，我要每天写日记”！新学期伊始，孩子们个个意气风发，盼望着“我能交到很多好朋友!”这些孩子满心充满期盼，真是可爱极了。

其实孩子们常常给自己提出很多新的目标和新的挑战：

“我希望不用游泳圈就能自己游泳!”

“我要开始练习骑自行车!”

“从今以后，我每天都要帮助妈妈做家事。”

孩子总会这样豪情壮志，说出让父母倍感欣喜的抱负。

但是如果妈妈在这个时候在一旁给泼上一盆冷

水，对孩子说“你啊，也就三分钟热乎劲儿！”“三天打鱼两天晒网，这话真是为你而说的！”“你这孩子啊，总是没长性。干什么都干不成！”这样的话，孩子还会不会那么充满干劲儿呢？

可能妈妈说这话时很不经心，觉得不过是句玩笑话罢了，语气里也充满了不屑，但是这样的话确实伤害了孩子。孩子会觉得“我明明什么都没开始做呢，就被妈妈指责好像已经做了坏事一样”。于是也没了干劲儿，即使想行动也会磨磨蹭蹭不愿意开始。

妈妈要培养孩子具有挑战精神

每个孩子都会面临这样的问题，做事总是会三分钟热度。不过妈妈完全可以换个角度考虑问题：

“即使你每次只愿意做三次，连续做三天就有九次那么多啦！”

“你每次总会愿意挑战新的目标，真太棒啦！”

“你要是真是碰到很喜欢的事情，肯定不愿意放弃，愿意一直坚持到底呢！”

“如果你碰到真的喜欢的事就好啦，那时候你能持之以恒就一定能成功！”

只要妈妈能够温柔而坚定地守望孩子，就能培养孩子更具备挑战精神。他们也能具备积极向上的生活态度。

“我好喜欢听妈妈说话啊！”“只要和妈妈聊天，就会觉得特别开心。”我们都希望听到孩子这样说，那就让我们试着变成善于说话、善于聆听的妈妈吧。

“是啊，就这么办吧！”我的读者朋友读书至此，如果产生了这样的念头就太好了。作为妈妈，作为孩子，我们都可以尝试一个新的开始。即使孩子做每件事都只有三分钟热度也无妨，只要他们能够积极地投入下一件事之中就好啦！

“你每次总会愿意挑战新的目标，
真是太棒啦！”

如我在前面所说的，孩子做事很容易就会觉得厌倦，或者中途就放弃。所以妈妈要想办法，给孩子多加鼓励，让孩子能够坚持下去，实现自己定下的目标。

38

"真是的，在邻居面前你不觉得丢人么！"

那个孩子总是招邻居侧目呢

在大城市公寓楼里居住的人之间关系疏远，很多人连自己隔壁住的是什么人都不知道，住了几年也不认识楼上楼下的邻居。

但是如果我们有了小孩，就会常常去附近的公园、幼儿园还有学校，增加了很多认识同龄孩子妈妈的机会。我们人际交往的范围也会扩大很多。

如果您的家庭是世世代代一直住在当地，就可能有很多老熟人、老邻居。这样的邻里关系也会十分密切。

但无论是怎样的环境都是既有优点也有缺点。即使我们的生活环境非常好，妈妈也会很在意邻居的看法。妈妈担心邻居有意见，就会总是牵制孩子的行动。这样妈妈就使自己生活的环境变得很拘谨。

“你不上补习班，整天就知道玩！真是的！在邻居面前你就不觉得丢人么！”

如果听到妈妈这样说，孩子就不会再愿意蹦蹦跳跳地出去玩耍了，行动也会变得不自由。因为孩子总担心招人耻笑，于是心思也会变得更加狭隘起来。

孩子的感知会与现实生活碰撞

曾经有一个初中的男孩子到我这里来进行心理咨询，他对我说了这样一件事。他的妈妈有一次因为什么事情对他抱怨："哎呀！我简直没有脸见外人了！"他当时顶嘴说："外人到底给你什么好处了，外人到底为你做什么了？在你心中，到底是家人重要还是外人重要啊？"听了他的话，他那一向说话滔滔不绝的妈妈居然愣住了，变得哑口无言。

像这个男孩子这样在与父母的讨论中说出更有道理的话的现象并不少见。有时候孩子能更加注意到家长可能忽略的东西，会更加把握住问题中真正的要点，这种情况很常见。当家长发现孩子说得非常有道理冲击到自己的内心时，常常会无言以对。

孩子说得对，对我们来说最重要的是与家人幸福快乐地生活，我们最看重的也是能否和家人和睦相处。与其担心其他人怎么看待我们，倒不如更关注我们自己的事情。这也是妈妈们都会认同的观点。

所以在和孩子的对话中，我们不妨进行更加积极的交流。妈妈可以笑着说："我呀，常常跟邻居们夸耀呢，我们一家人特别幸福啊！"其实全家都希望如此其乐融融地生活呢，不是吗？

"我总是和咱们附近的邻居说啊，
咱们一家人在一起特别快乐，特别幸福！"

"你们家孩子啊，真是特别聪明伶俐啊！我们家的孩子也是很懂事呢！"妈妈可以开始试着这样和邻居聊天。赞扬的语言能起到很好的作用，也能带动周围人产生积极的效果呢。

39

“你这个孩子啊，怎么总是这样啊。

你做事前能不能先动动脑子啊！”

孩子总是惹祸，真让妈妈担心啊

有的孩子常常上学迟到，丢三落四，吃饭的时候挑食很厉害，自私任性，或者总是和小朋友打架。哎呀，妈妈真是为孩子操碎了心啊！

妈妈恨铁不成钢地对孩子说："你这个孩子啊！怎么老是这样啊！你以后会变成什么样啊……"您觉得当孩子听到如此牢骚满腹的话时，会有什么样的感觉呢？

妈妈貌似在反问孩子"以后会变成什么样"，可孩子实际上会感觉妈妈在说："你将来一定会变成一个没用的人，你将来一定不会幸福的！"这种话会给孩子造成非常强烈的冲击，让孩子的眼前一片漆黑，内心充满不安，不知该如何是好。

可是其实妈妈说这话时，本意并不是让孩子如此悲伤难过，无所适从的。

妈妈在说这话时，只是把自己内心的不满宣泄了出来，却没有在意孩子的感受。“你啊，总是惹祸，将来可怎么办啊！妈妈可真担心啊！”

但这种不经意的说法却会让孩子心中一阵刺痛，难以忍受啊。

来寻找一下对自己的回答吧

其实当妈妈想到“哎呀，这个孩子又闯祸了。这样下去可怎么办啊”的时候，孩子是完全可以理解妈妈的想法的。

如果孩子不能理解妈妈的想法，那是因为他还没有成熟到这个阶段。对孩子来说，他们的成长是完全忠实于自己心灵和身体的欲求的，他们能通过自己人生的经历和感受寻找到自己的人生之路。当他们终于能够探索到自己最诚实的答案时，也就是自己能够真正改变的时候。

所以，各位妈妈要做的就是不要这样那样地说个不停，而是应耐心地陪在孩子身旁，等待他慢慢长大。

但我并不是说家长就绝对什么话也不能说了。我只是说请家长尽量不要对孩子说批评性的语言，对孩子横加指责，而是应尽量多用积极的语言对孩子进行鼓励，让孩子的内心更加舒畅轻松。

“其实失败也没什么。我们总会有办法解决的。其实妈妈也是这么过来的呢。”

“你啊，就现在这个样子就很好啦。无论在什么时候，妈妈都会站在你的身旁，和你是一起的。”

各位妈妈们，请一定要这样对孩子说呀！

“失败的话没有关系，一定会有办法的。
你现在这个样子就很好啦。”

有的时候妈妈可能会开玩笑地说：“这个孩子真是我生的么？怎么一点儿也不像我啊！”这样对孩子的批评是一点好处也没有的。说这话的妈妈，自己的内心也会受到伤害的。

40

“你啊，总是这个样子。你看，上次你就这样……”

你怎么总这样，总是在同一个地方失败

例如，孩子又把伞忘在学校里没带回来，或者又把老师要求交给家长的东西弄丢了。孩子如此一而再、再而三地连犯错误，妈妈就会像平时对待自己的丈夫一样对孩子发起牢骚来：

“你总是这个样子。你看，上次就是这样……”

如此喋喋不休地把陈芝麻烂谷子的事情都翻出来唠叨一遍，即使是您的丈夫听到也不会有好脸色吧。要是妈妈这样对孩子说，孩子也难堪重负啊！

其实每个小孩子都是这样的，过去的事情他们一眨眼就忘记了。孩子是生活在当下的，他们更关注的是将来会发生什么，总是积极地向前看的。

所以当妈妈发牢骚的时候孩子是很茫然的，他们

已经忘记了过去发生过什么事情，也不明白妈妈到底为什么会如此大发雷霆。因此孩子常常被妈妈的怒火弄得晕头转向，搞不清楚状况。

如果孩子记得自己曾经失误的情形，在妈妈的震怒下回忆起之前不愉快的经历，就会觉得："妈妈怎么总是这样啊，她总是揪着过去的例子不放手。我在努力进步啊，她却连这些都从来不理会。"孩子于是会变得十分烦躁。

妈妈要做到只说眼前的事，不要翻旧账

家里夫妻吵架的时候，妻子总是能把丈夫的陈年旧账翻出来，觉得对方简直是太过分了。妻子觉得：这么多年你犯过这么多错我都没说你，如今你又犯了这样的错，简直是岂有此理。如此喋喋不休地数落，真是让丈夫招架不住，难以抵挡！

如果我们能够成为聪明的妻子，避免以后再出现夫妻激烈的争吵，就要遵守一个原则：无论如何，我们只是就事论事，不翻旧账！这样才能形成一个更和睦的家庭氛围。而在养育子女时，我们也要遵循同样的原则。

为什么这么说呢？因为无论是家长还是子女，都是不完美的平常人，都是会犯错的。我们不能因为一

时的犯错而不原谅对方，而是应该容许犯错也容许改正。只有这样，我们一家人才能建立起更亲密、更和谐的关系。

如果孩子犯错了，妈妈在当时批评一下就完全足够了。

“妈妈已经把要说的话都告诉你了。今后希望你能自觉记得什么事情应该做，什么事情不应该做。既然你已经记住了，那妈妈就把这件事翻篇了。”

如果妈妈能够这样说，就可以把尴尬的气氛转换过来。妈妈不再横眉冷对地批评孩子了，母子二人的脸上也能够重新露出微笑。

"这件事情需要提醒你注意，你要记好了啊。

然后妈妈就把这件事忘记了吧。"

请妈妈一定要理解孩子，当孩子失败了本来就很难过的时候，再接受妈妈一通怒骂该有多么悲伤啊。当妈妈能够理解孩子之后，孩子也能通过自己的努力，在今后的生活中向好的方向进步。

41

“你怎么就不知道安静一点啊！”

为什么总是辛苦我一个人啊

妈妈总是在为了全家人努力操劳，辛勤工作。一不小心得了感冒不得不卧床休息的时候，丈夫和孩子却是一副不知情的样子，也没有人来帮忙照料，也没有人来嘘寒问暖。我接触的妈妈中就有人曾经历过以上这样的情况。

发生这样的事时妈妈自己会觉得很难过，尤其是细想起来会更生气。其实每个人都一样，当我们伤心难过的时候常常会将这些委屈憋在心里。然后在某个时刻，将之前受到过的委屈通通爆发出来。

就如同我刚才所讲的一样，妈妈在生病卧床期间，家里人却没一个来关心照顾。妈妈之后肯定会对丈夫和孩子颇有微词，一生气的时候就会忍不住说出这样的话："你们可真行啊！想当初我生病在床的时候谁来管过我啊！你们哪个知道关心关心我啊！"在实际生活中，这样的话妈妈肯定也是经常脱口而出。

而其实孩子在这个时候是搞不清楚状况的。他们一时并不能了解妈妈为什么会如此生气，也不知道自己为什么要受到这样的责骂，一时无所适从。妈妈可能是一时激动，把对丈夫和孩子的怨言都发泄在孩子身上了，但孩子却是最无辜的。

妈妈胡乱发脾气，可不是个好榜样

每个家庭都差不多一样，妈妈们都在为家庭贡献着自己的力量。她们整日辛苦操劳，为的就是全家能和气美满。所以很多妈妈都觉得自己如此奉献，是理应被家人感谢的。

但是妈妈们如此努力地做家事和育儿，被丈夫和孩子看在眼里却可能会觉得："是妈妈自己想做的，所以才去做的。"这样的话，妈妈没有感觉到自己的辛苦操劳能够得到全家的承认，也就十分沮丧了，变得牢骚满腹。家人整日在妈妈的唠叨下生活，也没有感觉到妈妈有多么操劳，自然也不会对妈妈有感激之情。

所以，我建议每天操劳的妈妈们放松一下吧。无论是做饭、洗衣服还是收拾家务，我们作为妻子、作为母亲都不要想着要成为优等生，不要期望着自己的劳动能得到所有人的大加赞赏。我们的心情放松了，全家人也会觉得更开心的。

“抱歉抱歉，我胡乱发脾气，真没个大人样啊。”

“我每天想着家人幸福的笑脸，做家事的时候也觉得很开心呢。”

妈妈这样的温柔才会培养全家人更加互相关怀和相互信任。妈妈开心快乐地做饭、洗衣服的样子，也会在家人心目中留下深刻的印象。

如果我们有温柔的情怀，
就要把这些温柔都播撒出去。
这样的话，大家就都会变得越来越温柔啦。

“妈妈的心里充满了对你们的爱和喜悦。所以，无论妈妈为你们做什么都是非常高兴的！”请各位妈妈对孩子们说出如此温柔的话语吧。

42

“你啊，要是××一点就好了！”

你这孩子真是让人无可奈何

妈妈常常把自家的孩子和邻居家的孩子拿来对比，可能和人家比自己家的孩子个子也矮，学习也不如人家优秀。于是妈妈会忍不住摇摇头，叹口气说：“我家的孩子，怎么就这么不如人呢?”

“你啊，要是能再××一点就好了……”

其实这话与其是妈妈说的，更像是评审委员对参加什么大赛的孩子所说的话。大人出于自私的考虑，擅自对孩子提出要求。换句话说，家长出于利己主义考虑，给孩子制定了一个硬标准。

如果听到妈妈这样叹气，孩子的心里也会变得不平静。

尤其是孩子对自己的身高是无可奈何的，可能孩子对自己的身高也很在意，但是他们再努力喝牛奶、做运动，身高还是不如邻居家的孩子高。而妈妈越这么说，孩子就会越在意。当他们无能为力时只会感到自己不如人，开始自我否定，有时候还会发展到对其他任何事都反感，进而失去生活的目标。

家长在不经意间就深深地伤害了孩子的心灵，夺走了孩子的自信和希望。我认为家长的这种行为就相当于在犯罪。我也希望孩子最好不要受到这些话的影响，能够健康快乐地成长。

妈妈要注意把对孩子的爱放在第一位

我在这里想说一句很冒失的话，如果孩子的个头再高一点或者学习更好一点，家长对孩子的爱就会更深一点么？

各位妈妈肯定会说不是的，对不对？无论自己的孩子是什么样的，家长都是爱孩子的，而且这份爱是从父母心底里萌发出的最真切的爱。我想各位家长要做的就是珍重自己内心对孩子的感情，再把这份爱无条件地投放到孩子身上。

此外，妈妈还要把自己的这份情谊，传递到孩子的内心深处，让孩子真切地感受到父母的爱。

“你能成为我的孩子，妈妈真是太高兴了！”

“妈妈有你这样的孩子，真觉得很幸运啊！”

这些平常听不到的话，孩子在听到时一定会有些惊讶吧。他们可能还会有点脸红，把头偏到一边去呢。

这样也没关系的。即使孩子没有在脸上表现出来，其实他们的内心深处已经受到了震动，会觉得非常感动。

妈妈如此的语言会在孩子心中烙下深刻的烙印。这些话能够影响孩子的一生，让他们永远难以忘记。请各位妈妈都来给孩子送上这份大礼吧！

“妈妈有你这样的孩子真的很高兴。”

有的妈妈非常烦恼，她们对自己的孩子总有不满，不能无条件地接受。所以妈妈们一定要锻炼自己，让自己的心灵变得更宽广、更包容。

妈妈会无条件地爱你的！

写在最后

在进行心理咨询或者心理治疗的时候，我经常会给患者提一些好的建议。其中很重要的一个建议就是：要注意语言的重要性。其实人类的语言蕴含着生命的能量，一两句话可以让人产生继续生活下去的希望，也可以把人推向死亡的深渊。

因此我的读者朋友们，可能大家都会同意我的说法，觉得“真的是这样的啊！”但是在日常生活中，我们一不留神就说出了充满负能量的话，这种情况经常出现。

如果要追究造成这种情况的原因，可能是因为我们在童年时代被身边各式各样的母亲影响，在不知不觉中接受了这些消极的言辞。

妈妈口中所说的每一句话都会被孩子全盘接受，然后深深地烙印在孩子的心里。每一位女性在结婚生子之后，都会将自己儿时从妈妈那里听来的话语再原原本本地说给自己的孩子听。这种情况绝非少见。

“你太吵了，你不要哭了，行不行啊？”

“我不是告诉过你不行了吗！你怎么这么不听话啊！”

这些曾经在儿时伤害过自己的话语，妈妈往往连自己都没有察觉就已经说给孩子了。

“哎呀，我现在说的话真的和我妈妈当年一模一样，连声调和语气都完全一样，真是太可怕了！”有的妈妈可能顿时恍然大悟。我们忽然回想起来，小时候听妈妈说这些话时自己的心里有多么难过，然后决定一定要吸取教训，绝对不能对自己的孩子也说出同样的话。

但是，我们总是提醒自己：“一定要注意，一定要注意，我可不能变成我妈妈那样啊！”不知不觉中我们就给自己也上了一个枷锁，苦不堪言。

不同的心态决定了我们说不同的话语。让我们首先看清自己的心灵，就能从根本上改变我们所说出的语言。我们首先要做的是，让自己的心灵更加宽广。

让我们坚硬的心灵变得更柔软、更宽广的方法特别简单。我们在家里照常生活，同时运用冥想、气功、瑜伽以及自律训练法这些培养身心调和的方法，就能够得到锻炼的效果。

我们可以通过绵长的呼吸吸入“气”，把自己的身体注满宇宙能量，在身体内部顺畅地进行“气的流动”，然后就能将浊气排出。这样做我们的身心就能进一步调和。通过深呼吸，能达到平和情绪、磨练心灵的目的。

妈妈忍不住想对孩子发火之前先做一个深呼吸，在发脾气之后做补救时也要做深呼吸。

我希望这个世界上的每一位妈妈和孩子都是快乐的，我会一直为大家祝福的。下次再见啦！

金盛浦子

图书在版编目（CIP）数据

日本妈妈的温柔批评课 /（日）金盛浦子著；王筱敏译．
北京：中国经济出版社，2016.1
（好妈妈跟我学·全球教子智慧系列）
ISBN 978-7-5136-3623-0
Ⅰ.①日… Ⅱ.①金… ②王… Ⅲ.①亲子关系—家庭教育—通俗读物
Ⅳ.①G78-49
中国版本图书馆 CIP 数据核字（2014）第 293918 号

著作权合同登记号：01-2015-8089
SHIKATTA ATO NO "HITOKOTO" DE KODOMO GA KAWARU

First published in Japan in 2009 by PHP Institute, Inc.
Simplified Chinese translation rights arranged with PHP Institute, Inc.
through CREEK & RIVER CO., LTD. and CREEK & RIVER SHANGHAI CO., Ltd.

策划编辑　崔姜薇
责任编辑　孙晓霞
责任审读　贺　静
责任印制　马小宾
封面设计　任燕飞装帧设计工作室

出版发行　中国经济出版社
印 刷 者　北京科信印刷有限公司
经 销 者　各地新华书店
开　　本　787mm×1092mm　1/32
印　　张　8.875
字　　数　100 千字
版　　次　2016 年 1 月第 1 版
印　　次　2016 年 5 月第 2 次
定　　价　39.80 元
广告经营许可证　京西工商广字第 8179 号

中国经济出版社 **网址** www.economyph.com **社址** 北京市西城区百万庄北街 3 号 **邮编** 100037
本版图书如存在印装质量问题，请与本社发行中心联系调换（联系电话：010-68330607）